生活因阅读而精彩

生活因阅读而精彩

感谢生命中的所有过往

叶添心 著

中国华侨出版社

图书在版编目(CIP)数据

感谢生命中的所有过往 / 叶添心著.—北京:中国华侨出版社,2014.11

ISBN 978-7-5113-4979-8

Ⅰ.①感… Ⅱ.①叶… Ⅲ.①人生哲学–通俗读物 Ⅳ.①B821-49

中国版本图书馆 CIP 数据核字(2014)第256609 号

感谢生命中的所有过往

著　　者 / 叶添心
责任编辑 / 文　筝
责任校对 / 王京燕
经　　销 / 新华书店
开　　本 / 787毫米×1092毫米　1/16　印张/18　字数/235千字
印　　刷 / 北京建泰印刷有限公司
版　　次 / 2015年1月第1版　2015年1月第1次印刷
书　　号 / ISBN 978-7-5113-4979-8
定　　价 / 33.00元

中国华侨出版社　北京市朝阳区静安里26号通成达大厦3层　邮编:100028
法律顾问:陈鹰律师事务所
编辑部:(010)64443056　　64443979
发行部:(010)64443051　　传真:(010)64439708
网址:www.oveaschin.com
E-mail:oveaschin@sina.com

序

时间匆匆而去,我们终将释怀。

心智成熟的人往往享受一个人独处的时光。

或许是在一个慵懒的午后,把自己深埋在沙发的一隅,让温暖的阳光轻抚发尖眉梢;或许是在月白风清的夜晚,任月光如水,流淌一地思绪。这样的时刻,是心灵最美的停歇。

这一刻,内心是恬淡的、静好的。

此时的自己,就像是翻开了一本书,岁月中曾流逝的、生命中曾经历的,那些曾让你欢笑、曾让你流泪的得与失……一个个镜头跃然脑海,缓缓从心间流过。

这一刻,灵魂是超脱的、释然的。

曾经以为生命的色彩只有成功,失意和挫折是生命中灰暗的一笔，经年之后才发现，许多当时无法接受的失意，现在想想，竟也有着别样的绚烂。许多当时貌似不可逾越的困难，转眼已是云淡风轻。

原来，一切过得去和过不去的事终将过去。而曾经让你流泪的事，将来某天，你也会释然地笑着说出来。其实高山低谷，各有各的风景。人生，亦如此。

本书以纯纯真言，带你感谢生命中的所有过往，感谢走过的那些沟沟坎坎，感谢经历过的那些事、相识的那些人。无论他们曾带给你欢笑还是泪水，一切都值得你感恩，因为这是我们生命最真实的印迹。

让我们感谢所有的过往，铭记昨日的美好，珍惜今天的拥有。

目 录
CONTENTS

第一辑
感谢人生中的遗憾，它让你活在当下

即便不尽人意，也要接受现实	003
忽略小烦恼，生活才美好	006
坦然面对自身缺陷，人生本由"不完美"组成	009
错过的就错过了，得到的才是最好的	013
忘记朋友的伤害，铭记朋友的关爱	015
就算一生扫厕所，也要做到最出色	018

第二辑
感谢经历过的风雨，它让你内心强大

磨难是摘取成功果实的阶梯	025
永不放弃前进的脚步，即使像蜗牛一样慢	028
成功，就在"再坚持一下"的努力中	031
无惧逆境，危机也可成转机	034
别怕风险，因为它不只是障碍，更是机遇	037
坚守信念，没有穿越不了的风雨	040
不被困境所蒙蔽，变"绝不可能"为"绝对可能"	044
不担心"低就"，"高成"才会如约而至	048

第三辑
感谢旅途上的茫然，它让你找到方向

成功者需要具备卓尔不群的眼光	053
穷则思变，变则能通	056
"低头狂奔"时不要忘记"抬头看路"	060
突破迷雾，找准自己的目标	063
身陷于"枯井"，不一定非要迎接"死亡"	066
在黑暗中微笑，终会看到黎明的太阳	069
志存高远，才能取得高成就	072
全力以赴，不为自己留退路	076
摆脱优柔寡断，做行动的巨人	079
制订计划，避免眉毛胡子一把抓	082

第四辑
感谢岁月中的浮泛，它让你守住寂寞

守住定力，不让浮躁搅扰心绪	089
凝聚心力，厚积而后薄发	091
等待时机，迎接破茧成蝶的那天	094
耐得住寂寞，才能走出寂寞	097
能忍方能成事，成功都是熬出来的	100
业精于勤，一勤天下无难事	102
胜而不骄，以防被成功给"击倒"	105

第五辑
感谢遭遇过的输赢，它让你大气磅礴

淡然看待人生的起起落落	111
笑对失败，为成功积蓄能量	113
得志时切勿得意，不然失败会降临	117
失意时不要过悲，走出阴霾见光明	120
忍得了一时之屈，方能成就一世之荣	124
藏露有时，小聪明不如大智慧	127
即便是"高人"，也不要盛气凌人	130

第六辑
感谢生活中的曲直，它让你心安神定

大人有大量，大量才能成大事　　　　　　　　137

不去计较，退一步风平浪亦静　　　　　　　　140

得理也让人，不争一时之气　　　　　　　　　143

宽容大度，才不会被"仇恨袋"绊住脚步　　　147

面对嘲笑，不做无谓的争辩　　　　　　　　　150

对手未必是冤家，懂得善待能双赢　　　　　　154

不迷信权威，站在真理的一边　　　　　　　　157

聪明不易，但有时候需要装装糊涂　　　　　　160

摒弃繁杂，还人生以简单　　　　　　　　　　164

第七辑
感谢红尘间的诱惑,它让你修养定力

保持人格的清洁,不要被浮名遮蔽双眼	171
克制贪欲,人不能钻到钱眼儿里去	174
坚持走自己的路,别把自己"弄丢"了	177
放下攀比心,等于为烦恼除根	180
去除私欲,才能无所畏惧	183
无视繁华,拥有一份恬淡的心境	186
专注是抵御诱惑的心智盾牌	189

第八辑
感谢困于心的孤单，它让你宽容分享

清白做人，带一身正气闯天下	195
公心对人，平心对事	197
爱是人类最美的情感，有爱的生命才有力量	200
不拘泥于眼前，着眼大局谋发展	203
不必所有问题都自己扛，该求人时就求人	206
分享不是失去，而是另一种获得	209
保持谦逊，让自己虚怀若谷	212
留一些面子给别人，等于留一条退路给自己	216
少倾诉，多倾听，会让自己受欢迎	219

第九辑
感谢生命里的无奈,它让你收放自如

敢于舍弃,舍弃不一定意味着失去	225
"放下"一些东西,才能腾出空间装更多的东西	228
该退却时便退却,不必一味地前进	230
该转弯时要转弯,切勿一条道走到黑	233
掂清自己的斤两,不要瞎逞能	235
亲力亲为不如大胆授权	238
正面迎击固然过瘾,但绕道迂回更易胜利	241
不断改变自己,才能不断超越自己	245

第十辑
感谢无缘由的委屈，它让你超然洒脱

接受生活的不公，自己给自己公平	249
手握坏牌不要紧，奋力去打也能赢	252
为了回报而付出，只会失去更多	255
被人误解时，只需一笑置之	259
占便宜只得一时之快，吃亏才得长久之福	262
面对批评，将压力转化为动力	265
受得了委屈，才能成长得更强壮	268

第一辑

感谢人生中的遗憾,它让你活在当下

智者说:"没有遗憾是最大的遗憾。"确实,如果生命中没有遗憾,那么我们会少了很多丰富的体验,我们的生命也就少了很多或光彩,或暗淡的时刻。因此,我们应该感谢人生中的遗憾,同时又不纠结于遗憾,而是善于忘怀过去,懂得把握现在。如此,我们才会带着一颗自由之心跨越尘世,才会拥有一股力量面对当下。

即便不尽人意，也要接受现实

通常，我们会为了生活当中无法接受的事而懊恼、抱怨不已：工作出现失误了、东西被偷了、排水管塞住了等。虽然我们抱怨、愤怒、唠叨、自怨自艾，希望事情会有所不同，但实际上这一切都于事无补，反而可能使事情更糟。

一位妇人在上街的时候不小心丢了一把雨伞，就因为这一件小事情，她一路上都十分懊恼，还不停地责怪自己："我怎么如此的不小心，如果我多留点儿心的话，或许雨伞就不会丢了……"

等回到家之后，这位妇人才发现，由于刚才太专注已经丢失的那把雨伞，她在仓促与不安中居然一不小心把自己的钱包也弄丢了，她后悔地说："唉，如果我那会儿不那么关注雨伞的话……"

"开弓没有回头箭，人生能有几回搏"。过去的已经过去，已是过去式了，它不代表现在，更不能代表未来，已经不能挽回了，再也找不回来了。境况大为不同时，心中却还在念念不忘，这就是刻舟求剑、守株待兔的悲剧所在。

既然事情已经发生了，我们就要及时进行自我调整，心平气和地接受现实，好好地把握现在，唯有如此才能积极地为将来做好准备。正如美国哲学家詹姆士所说："接受无法更改的事实，是克服不幸、改变未来的第一步。也就是说，虽然我们改变不了事实，但我们可以改变自己的思维和反应模式，控制自己的行为和反应。"

比如，当我们在刷盘子的时候不小心打破了一个盘子，与其又叫又喊、懊恼不已，不如一笑置之，心平气和地接受这样的事实——现在摆在我面前的是一个打破的盘子，剩下的问题是盘子已经破了，唯有引以为戒、小心谨慎，才能避免下一个盘子被打破。

荷兰的阿姆斯特丹有一座15世纪的教堂遗迹，里面有这样一句让人过目不忘的题词："事必如此，别无选择。"与之类似，一位得道高僧曾说过处理问题的12字箴言："面对它、接受它、处理它、放下它。"可见，面对无法改变的事情，最好的办法就是接受它，"不要为打翻的牛奶哭泣"，超脱地重新开始。

让我们分享一个故事吧，名字就叫《不要为打翻的牛奶哭泣》。

成功学大师戴尔·卡耐基事业刚起步的时候，在密苏里州举办了一个成年人教育班，并且陆续在各大城市开设了分部。由于没有经验又疏于财务管理，在他投入很多资金用于广告宣传、租房、日常的各种开销之后，他发现虽然这种成人教育班的社会反响很好，但自己一连数月的辛苦劳动竟没有挣到钱。

卡耐基为此很是烦恼，他不断地抱怨自己疏忽大意。这种状态维持了好长时间，他整日闷闷不乐，神情恍惚，无法进行刚刚开始的事业，后来他只好去找中学时代的心理老师乔治·约翰逊，寻求心灵上的帮助。

听完卡耐基的话之后，老师意味深长地说："是的，牛奶被打翻了，漏光了，怎么办？是看着被打翻的牛奶哭泣，还是去做点儿别的？记住，被打翻的牛奶已是事实，没有可能再重新装回瓶子里，我们唯一能做的就是吸取教训，然后忘掉这些不愉快。"

老师的话如醍醐灌顶，使卡耐基的苦恼顿时消失，精神也为之振奋。他说："我拒不接受我遇到的一种不可改变的情况，我像个蠢蛋，不断做无谓的反抗，结果带来无眠的夜晚。我把自己整得很惨，终于我不得不接受我无法改变的事实，重新投入到了热爱的事业中。"后来，卡耐基成为美国著名的企业家、教育家和演讲口才艺术家，被誉为"成人教育之父"、"20世纪最伟大的成功学大师"。

是啊，"别为打翻的牛奶哭泣"！牛奶打翻在地已经是事实了，再抱怨、再后悔也无济于事了。我们唯一能做的就是忘记过失，接受现实，做好下一件事，能够这样做的人是洒脱的、智慧的！

甘地被誉为印度的"圣雄"和"国父"。一天，他坐火车，不小心把自己穿着的一只鞋子掉在铁轨上了。此时，火车已经轰隆隆地启动了，他不可能下车去捡那只鞋子了。旁边的人看到甘地没了一只鞋子，都为他感到可惜。

忽然，甘地弯下身子，把另一只鞋子脱下来，扔出了窗外。身边的一位乘客看到他这个奇怪的举动，就问："先生，你为什么要这样做呢？"

甘地笑了笑，慈祥地说："这样的话，捡到鞋子的人就有一双完好的鞋子穿了。"

假如丢了鞋子的人是你，你会是怎样的表现呢？会把另外一只鞋子扔出去吗？甘地却这样做了，他的做法令人佩服，也给我们带来了人生的启示——做人一定要大气，别为已经发生的事情耿耿于怀。

总之，许多的经历，我们是无法逃避的，也是无所选择的。当发现情势已不能挽回时，我们最好不要再思前想后，要接受不可避免的事实，积极地进行自我调整，进而在人生的道路上掌握好平衡。

慧心物语

做人一定要大气，别为已经发生的事情耿耿于怀。心平气和地接受现实，好好地把握现在，这种气度和胸襟是克服任何不幸的第一步。

忽略小烦恼，生活才美好

在生活中，我们时常因为一些小事，被一些本应该不屑一顾的小事弄得心烦意乱。越抓紧这些小事，内心苦闷的情绪越无法得到释放，这就等于在无形中夸大了小事的重要性，生活很可能就被这些小事给拖垮了。

先来看一个故事。

在科罗拉多州长山的山坡上躺着一棵大树的残躯。自然学家告诉我们，它已有一百四十多年的历史了，在它漫长的生命长河中，曾被闪电击中过14次。无数次狂风暴雨侵袭过它，它都能战胜，但一小队甲虫的攻击使它永远倒在了地上。那些小甲虫从根部向里咬，渐渐损伤了树的根基，它们虽然小，却持续不断地攻击。这样一棵巨木，岁月不曾使它枯萎，闪电不曾将它击倒，狂风暴雨不曾动摇过它，却因一小队用大拇指和食指就能捏死的小甲虫，终于倒了下来。

我们不就像森林中那棵身经百战的大树吗？我们也经历过生命中无数狂风暴雨和闪电的袭击，也都撑过来了，可是却总是让恼人的小甲虫侵蚀——那些用大拇指和食指就能捏死的小甲虫。你是否因为在上班的途中遇到堵车，烦躁随之而来？你是否因为不小心被人踩到了脚，心情变得异常糟糕……

当这些烦恼被列举出来，你一定会发现，那些每天烦扰我们心灵的90%以上都是小事。这些小事引起的烦恼总是一抓住机会就侵占我们的内心和思想，我们如果不狠狠地将它们抛到九霄云外去，它们就将在我们的内心生根发芽，越长越大，直到我们承受不了，被它们压垮。

正如美国作家梭罗所说:"我们的生命都在芝麻绿豆般的小事中虚度,毫无算计,也没有值得努力的目标,一生就这样匆匆过去了……"著名的心灵导师戴尔·卡耐基也认为:"许多人都有为小事斤斤计较的毛病。人活在世上只有短短几十年,却浪费了很多时间,去愁一些一年内就会被忘掉的小事。"

难道我们就甘愿被这些烦恼困扰吗?不,我们要想办法解决它、摆脱它。有时候,短暂的遗忘可以帮助我们很快摆脱这些小事的干扰。事实上,我们的头脑就像一座空房子,房子的面积是有限的,牢牢记住有用的东西,对于那些烦恼的小事忘得越干净越好,我们就会找到原本属于自己的快乐。

掌握了这一解决方法后,如果下次再遇到烦恼就好办了。当朋友来安慰你时,就笑嘻嘻地回答:"我忘了!"然后做自己想做的事。这是一种超脱的心境,是一种博大的气度,可以让一颗自由之心越过尘世,在广袤的天地间翱翔……

尺比寸长,但十寸就等于一尺,再继续累加的话,寸也可以超越尺。因此,我们说,尺有所短,寸有所长,关键看你是否有包容的量,能否继续扩充。高是因为能容纳很多的矮,长是因为能容纳很多的短……

苏格拉底的妻子脾气非常不好,是一个有名的悍妇。她常常对苏格拉底疾言厉色,但是苏格拉底从来都不对妻子发火。一天,妻子又因为一件小事而大动肝火,她把苏格拉底痛骂了一顿,仍然觉得不解气,于是她又提一桶水,从苏格拉底的头上倒下去。苏格拉底全身都湿透了。朋友们都以为苏格拉底肯定会大发雷霆,但出乎意料的是苏格拉底并没有生气,而是笑着说:"我就知道,打雷过后,肯定会有一场大雨的。"结果,妻子也忍不住笑了起来,一场大战就这样避免了。

俗话说"夫妻吵架不记仇,半夜三更睡一头",苏格拉底就是本着这个原则,才会幸福地生活着。他没有因为妻子的无理取闹而大发雷霆,因为他知道这只不过是小事一桩,没有必要怒上心头。做人就应该像苏格拉底这样心胸宽广，不为微不足道的小事烦恼，维护好和别人的关系。

我们在经历有些事时总也想不通，直到生命快到尽头时才恍然大悟。的确，平时一些令人发愁的事情其实都是微不足道的，在遇到生命危险时，我们就会立即发现它们那么荒谬、渺小，实在没有理由值得烦恼。

有这样一个富有戏剧性的故事，主人公叫罗勃·摩尔。

1945年3月，罗勃和战友在太平洋海下的潜水艇里执行任务。忽然，他们从雷达上发现了一支日军舰队朝他们开来，他们连续发射了三枚鱼雷但都没有击中，便只好潜到150英尺深的海下，以免被对方侦察到。三分钟后，天崩地裂，六枚深水炸弹在四周炸开。深水炸弹不断投下，整整15个小时，有几十枚深水炸弹在离他们50英尺左右的地方炸开。若深水炸弹离潜水艇不足17英尺的话，潜水艇就会被炸出一个洞来。

罗勃吓得无法呼吸，不断地对自己说："这下死定了。"潜水艇的温度有摄氏40度左右，可罗勃却害怕得浑身发冷，不断冒冷汗。15个小时后，攻击停止了，显然那艘布雷舰在用光所有的炸弹后离开了。这15个小时，罗勃感觉好像有1500万年，过去的生活一一在眼前出现。他记起来曾经担忧过的那些很无聊的小事，他对自己发誓："如果还有机会看到太阳和星星的话，我一定不为小事而烦恼。"

"如果还有机会看到太阳和星星的话，我一定不为小事而烦恼。"这是经过大灾大难才会悟出的人生箴言！生命是无价的，任何代价都换不来生命。人生在世，时间短暂，何必再为小事斤斤计较呢？

而且，从医学的观点看，经常为小事烦恼，对身心健康也是极其有害的。例如，《红楼梦》里的林黛玉，虽生有闭月羞花的美丽容貌，却常因一些芝麻绿豆大的事情而郁郁寡欢、愁肠百结、辗转反侧，最终落了个"红颜薄命"的悲惨结局。

有一首曾经很流行的歌叫作《莫生气》，歌词唱得好："人生像是一场戏，因为有缘才相聚。相遇相知不容易，是否更该去珍惜。为了小事发脾气，回头想来又何必，别人生气我不气，气出病来无人替。我若气坏谁如意，而且伤神又费力。"

"春有百花秋有月，夏有凉风冬有雪。若无闲事挂心头，便是人间好时节"。学会控制自己的情绪与行为，不为一些鸡毛蒜皮的小事烦恼，心境自然会变得豁达不少，如此我们也就更容易养出一份豁达的胸襟和气度。

慧心物语

我们的头脑就像空房子，房子的面积是有限的，牢牢记住有用的东西，对于那些烦恼的小事忘得越干净越好。这是一种超脱的心境，是一种博大的气度，可以让一颗自由之心越过尘世，在广袤的天地间翱翔。

坦然面对自身缺陷，人生本由"不完美"组成

我们不愿太胖，不愿太瘦，不愿变老；我们为自己的嗓音和口音焦虑，为自己鼻子太大或者秃顶焦虑……这都是为什么呢？因为我们太轻信传言，认为假如没有一个完美无瑕的身体，我们就毫无价值。

这实在是一种错误的观念，事实上"金无足赤，人无完人"，世界上没有完美的人。倘若我们不能坦然接受自己身上的缺陷，缺陷就会成为阻碍我们自信的"绊脚石"，我们将因此自怨自怜、自暴自弃、悲观厌世。如此一来，我们的快乐会越来越少，忧郁会越来越重，更不用说拥有美好的人生了。

既然如此，我们何必纠结于自己这样或那样的缺陷呢？适当允许一些不足的存在，学会接受"不完美"的自己，这才是一种超逸的生活态度，相信这会让你变得自信起来，让自己的价值给别人最强烈的震撼！

有位电车服务员的女儿一直渴望成为明星。可惜，在外人看来，她并不具备成为明星的条件，她长了一张不美的大嘴，还有一口龅牙。当她第一次在夜总会里演唱时，她千方百计地想用她的上唇遮掩她的牙齿，期望观众不会注意她的龅牙而去专心听她的歌唱。结果适得其反，台下的观众看她滑稽的样子，不禁大笑起来，女孩红着脸走下了台。

现场的一位观众觉得她很有歌唱才华，他很率直地告诉她说："刚才我一直在专心观赏你的歌唱表演，我看得出来你想掩饰的是什么，你害怕别人注意到你的龅牙，对不对？"女孩听后，一脸尴尬。接着，他又说："龅牙怎么了？没有人会在乎的，也许它还能够给你带来好运呢！"

听了这位观众的忠告，女孩打算此后不再掩饰自己的龅牙。每当她在唱歌的时候，她就尽情地把嘴巴张开，把所有的精力都置于歌声中。最后，她成为在电影及广播界享有盛名的双栖红星，她就是凯茜·桃莉，甚至很多喜剧演员都会模仿她唱歌的模样。

由此可见，一个人身上有没有缺陷并不重要，重要的是自己敢于接受并正确面对这个事实，而且除了你自己，没有人会刻意在乎你的缺陷。学着无视自己的缺陷，心平气和地接受自己，好好把握现在，才能找到自己的存在价值，有所作为的心灵行动才会真正开始，有价值的人生内容也就从此而生了。

欧洲曾在瑞士的洛桑举办了一次"最完美的女性"研讨会。与会者通过逐一鉴别后公布的结果是：最完美的女性应该是有意大利人的头发、埃及人的眼睛、希腊人的鼻子、美国人的牙齿、泰国人的颈项、澳大利亚人的胸脯、瑞士人的手、斯堪的纳维亚人的大腿、中国人的脚、奥地利人的声音、日本人的笑容、英国人的皮肤、法国人的曲线、西班牙人的步态……所有这些还是不够，完美的女性还应有德国女人的管家本领、美国女人的时髦装束、法国女人精湛的厨艺、中国女人醉心的温柔……然而，即使上帝重新造人，也不可能集这些优点于一人身上的，因此，与会者达成的共同的结论是：真正完美的女人是根本不存在的。当然，男人也是一样。

所以，我们真的没必要因为自己比别人个子矮而自卑，也没必要为自己身材不够美而气愤不已，更不必因为自己某方面的缺憾而自怨自怜。不是有一句话这样说嘛：这个世界上所有的缺陷都是被上帝咬过一口的苹果。这样的比喻是何等的新奇而幽默，又是怎样的从容淡定、豁达乐观。人类历史上有太多的天才俊杰都"被上帝咬过一口"：失明的文学家弥尔顿、失聪的大音乐家贝多芬、不会说话的天才小提琴演奏家帕格尼尼……

看看那些懂得接受不完美的人是如何做的吧，虽然他们自身并不完美，但他们能够无视自己的缺陷，能积极勇敢地面对自己，勇于接受"不完美"的自己。也因为此，他们能够尽可能发挥出最大的才能，他们的人生比别人辉煌得多。

一个小女孩出生时由于医生的疏失，其脑部神经受到严重的伤害，自幼就患上了脑性麻痹症，以致颜面、四肢肌肉都失去正常功能。她不能说话，嘴还向一边扭曲，口水也不能止住地流下。父母不甘心，带着她四处求医，他们怒气冲天："我们究竟做了什么对不起孩子的事情呢？"

后来通过观察，父母才明白这种看法错了。因为在小女孩看来，她天生就是这样。她并不把时间花在弄懂为什么她不能像别的孩子那样走路、做事上，而是乐天知命地生活着。众人的盯视、同龄人的好奇、比她小的孩子问她"你怎么啦"、"你为什么不会走路"，这一切她都不放在心上。她充满了发自心底的精力、活力和热情。她所关心的不是自己不能做什么，而是自己还能做什么。

后来,小女孩喜欢上了画画,她花了大半天的时间才能握住笔。14岁时,她进入洛杉矶市立大学就读,之后转至洛杉矶加州州立大学艺术学院,如今已取得博士学位,成为一名著名的画家,在多个地区举办了自己的画展,她就是黄美廉。谈及自己的成功经验时,她如是总结:"我很可爱!我会画画、会写稿!我的腿很美很长……我只看我所有的,不看我所没有的……"

黄美廉之所以出名,是因为她是一个艺术家,而不是因为她是一个残缺者。她的成功故事向我们揭示了一个真理:接受残缺的自己,就有了坚定的自信心,也就有了战胜各种困难的能力。试想,如果黄美廉不能忘怀自己的缺陷,她很有可能自暴自弃,恐怕黄美廉这个名字就鲜为人知了吧!

还有奥黛丽·赫本,这位好莱坞的著名电影明星,她的身材并不完美,平胸、清瘦、手足细长,但是,她散发出来的气质让人觉得她就是一个优雅、大气的女人。这是因为,奥黛丽本人对于自己的外表没有太多苛求,她说:"每个人都有缺点和优点,将优点发扬光大,其余的就不必理会。"这一观点值得我们每一个人借鉴。

从现在开始,忘记自己身上这样或那样的缺陷,接受"不完美"的自己吧!当你尽心尽力去做事,问心无愧地去努力,你就一定会接近完美,得到最踏实的收获。你会发现自己会更快乐、更优秀,更能赢得众人的欣赏,你的生活必然会变得明朗起来,也就更容易打造出一个辉煌的人生。

慧心物语

适当允许一些不足的存在,忘记自己身上的缺陷,学会接受"不完美"的自己,这是一种超逸的生活态度,是一种豁达的心境,相信这会让你变得自信起来,让自己的价值给别人最强烈的震撼!

错过的就错过了，得到的才是最好的

生命中一些极美、极珍贵的东西常常与我们失之交臂，而这些逝去往往会变成一把锋利的刀子，一刀一刀地在我们心上剜出血来。所以有人说：但凡世间的好事物中都暗藏了一些遗憾，错过是最深刻的痛苦，几多愁思，几多无奈。

但是，我们也不妨这样想想："得不到的东西永远是最好的。"正因为错过了，才是最完美的。没有错过，也就不会有那么完美了。所以，当你喜欢某物或某人时，得到也许并不是最明智的选择，而错过却会有意想不到的收获。

这一点并不难理解，我们不妨打一个形象的比喻：人生是由许多标点符号组成的，每一次错过都是一个逗号，只要错过存在，遗憾也就跟着而出，人生就永远没有句号，所以才会给我们留下永久的疑问和寻找。

由此可见，生命中，我们总会错过许多，但错过了就不要再埋怨，我们要学会感激，感激那些美丽的错过，正因为错过了，我们才多了一次其他的机会，而这个机会或许会变成我们最完美的期待，让错过不再只是遗憾。

当欧洲人正对东方的黄金和香料感兴趣时，一批航海家便开始寻找通往东方的新航路，但他们中最后只有葡萄牙航海家达·伽马发现了好望角。达·伽马因发现从西欧经海路抵达印度这一创举而驰名世界，其他一些航海家错过了发现这条新航路的机会，但他们留给了我们更多的记忆。

比如，同样是葡萄牙航海家的斐迪南·麦哲伦，从1519年9月到1522年9月，他和他的船员们花了整整三年的时间实践证明了地球是一个圆体，不管是从西往东,还是从东往西,毫无疑问,都可以环绕地球一周回到原地。这在人类历史上,永远是不可磨灭的伟大功勋。

世上所有的机遇并不都是为一个人而设的,人生总是有得有失、有成有败,从而留下一些遗憾。错过了,并不代表你不出色,别为错过叹息,否则就会如泰戈尔大师所说:"当你为错过太阳而懊恼时,你也将错过群星。"

是的,人生要留一份从容给自己,善于忘怀错过,善于把握现在。要知道,人生的每一个过程都是不可能重来的,最可喜可贺的是能从错过的失落中思索并找到自我生命的价值,继而勇敢迎接未来所有的挑战,如此,人生的前景依旧光明。

我们来看一个例子。

某名牌大学要来 A 市破格录取一名德才兼备的学生,这名学生的所有学习费用将由该校全额提供。初试结束了,共有 20 名学生成为候选人。考试结束后的第 10 天是面试的日子,20 名学生及其家长云集在一家饭店等待面试。

当主考官出现在饭店的大厅时,一下子被大家围了起来。他们热情地向他问候,迫不及待地做自我介绍。这时,一名学生由于起身晚了一步,没来得及围上去;等他想接近主考官时,主考官的周围已经是水泄不通了,根本没有插空而入的可能。

就这样,这名学生错过了接近主考官的大好机会,他为此有些懊丧。正在这时,他看见一个女人有些落寞地站在大厅一角,目光茫然地望着窗外,他想:"她是不是遇到了什么麻烦?"于是走过去彬彬有礼地和她打了招呼,做了自我介绍,然后问道:"夫人,您有什么需要我帮助的吗?"接下来,两个人聊得非常投机。

在 20 名候选人中,这名学生的成绩并不是最好的,而且面试之前,他错过了加深自己在主考官心目中印象的最佳机会,但是他却最终被选中了。原来,那位女子正是主考官的夫人,而这名学生的善意之举为他赢得了机会。

原来错过并不一定是遗憾,有时甚至可能是圆满。当你错过了进剧院的时间,但在剧院门口外,遇到了多年不见的好友时,你还会叹息这次的"错过"吗?当你在雨天错过了一辆公交车,你也许会懊悔,但如果你因此买到了久觅不得的诗集时,你还会怨恨这次的"错过"吗?

因此,不妨选择忘怀错过,在沉沉的思索中把它理解成一种别样的美丽,凭着对未来的希望和憧憬,昭示自己奋力前行。最后,你或许可以深切地感受到:"我虽然错过了太阳,但我毕竟抓住了月亮和群星。我应该感谢那些错过,是它们让我懂得了现在的美好。"

慧心物语

人生要留一份从容给自己,善于忘怀生命中的错过,善于把握现在的拥有。从错过失落中思索并找到自我生命的价值,继而勇敢迎接未来所有的挑战。如此,人生的前景会依旧光明璀璨。

忘记朋友的伤害,铭记朋友的关爱

世间真挚的友情难能可贵,但很多人可能会由于某种误会、疏忽或者别的什么原因,与原本很好的朋友闹了矛盾,此时若双方耿耿于怀,则误会可能越来越深,从此老死不相往来。

其实,朋友间的伤害往往是无心的,如果因为这种无心的伤害而失去彼此,那不仅是一种遗憾,而且是一种悲哀。因此,与朋友相处,要善于忘怀与朋友之间的不快，不要因为一点儿小事而失去朋友。

在与朋友的相处中，我们会经历开心和快乐，也会有苦楚、怒气和不能说的委屈，这时把快乐刻在石头上，把不幸写在沙滩上，忘记朋友的伤害，铭记朋友的关爱，双方的友谊就有可能一直持续下去。

在实际生活中，有些人总觉得自己的生活充满不幸与悲伤，他们很奇怪为什么有些人每天总是快快乐乐的。其实道理很简单，这就在于自己的选择：你是铭记，还是原谅别人的错误、别人对自己的伤害。

的确，有些伤害虽然不重，但如果时刻铭记在心，便会给自己造成巨大的负担，使自己很难轻松起来。因此，要想修炼更好的自己，就不能抓着别人的错误不放，不要轻易地被别人的伤害扎伤自己。

春秋时期的政治家管仲和鲍叔牙之间深厚的友情已成为中国代代流传的佳话。在中国，人们常常用"管鲍之交"来形容自己与朋友之间坚固的亲密关系。现在，让我们来看看他们的故事。

管仲自幼家境贫穷，鲍叔牙则比较富有，早年两人合伙做生意，管仲只出很少的本钱，分红时却拿很多钱。朋友看不惯，纷纷为鲍叔牙鸣不平，但鲍叔牙解释说："管仲家里穷，他需要多拿些钱奉养自己的母亲。"

有好几次，管仲帮鲍叔牙出主意办事，结果不但没有办好事情，反而把事情搞得一团糟，鲍叔牙也不生气，还安慰管仲，说："事情办不成，不是因为你的主意不好，而是因为时机不好，你别介意。"

管仲曾三次带兵打仗，却三次临阵而逃了，大家纷纷骂他是"胆小鬼"、"懦夫"，瞧不起他。鲍叔牙忙替他辩白说，不是管仲胆小，而是管仲家中有八十高龄的老母，缺少人手照顾，所以他才如此爱惜性命。

二人由于辅佐的对象不同而成了政敌，最后鲍叔牙获胜，管仲沦为阶下囚。但鲍叔牙力保管仲，使他免于死罪，并设法使齐桓公原谅他，还任命他住，那么你得到的报酬则不是普通的金钱能够衡量的。

生活总是充满挑战，但能迎难而上的人又有多少。所以相信自己力争上游才能看到别人看不到的风景，吃到别人吃不到的美味果实。

我的儿子，我不是想用一次谈话就把罗杰斯的能力给予否定，但我希望你能和他聊聊，然后看看他有没有改变，再作出决定。这也是生活对他的一种磨炼，能否磨成利剑就靠他自己的造化了。

爱你的爸爸

小贴士：

我们每个人都有创造力，但有的人从来不相信自己能做别人不能做的事情，但有的人却非常自信，无论问题多么棘手，他也相信自己能够用最好的方法摆脱困境。所以，相信自己拥有创造力是一股强大的力量，它能引领我们走向亮丽的风景。作为家长如果能够正确引导孩子发挥自己的创造力，那么，孩子的创新能力也会得以提高，不妨试试以下几个方法：

1.当遭遇问题时，先袖手旁观，然后看看孩子在没有求助时能想出什么方法，如果能顺利解决问题，要及时地称赞他；

2.当孩子们不能想到办法时，不要教他们用现成的办法解决，而应该引导他，让他发挥自己的想象力和创造力，然后运用他想到的方法解决问题；

3.事后学会和孩子讨论为什么他能想到这样的方法，有没有更好的方法，慢慢地对他加以引导。

作为孩子也要做到以下几点：

1.遇到问题先要想办法，然后把这些办法都写下来，分析清楚什么办法才是最优的，然后付诸实践；

2.当问题难以解决,不要灰心丧气,如果实在想不到办法可以尝试把问题说出来与信任的人交流,然后再发挥自己的创造力,把事情完满解决;

3.即使事情解决了也不要沾沾自喜,保持谦虚的态度,在实践中善于总结经验,根据不足之处想想有没有更好的方法能避免这些不足。

人总是在总结中不断成长创新的,所以我们一定要善于总结经验,然后接受新的挑战,那么我们就能自信地应对挑战,变不可能为可能。

第6课 / 探索策略的各种可能性
——洛克菲勒写给孩子的第34封信

> 课前引:商场如战场,我们每天都会面对很多选择,但什么方法或方案才是最优的需要我们做出策略性的思考,只有这样,我们才能在商场中取得胜利,成为称职的企业管理人员。

心爱的约翰:

汉密尔顿医生总能为我们说出很多有趣的故事,为我们平淡的生活增添了不少的欢乐,即使他最近常被肥胖困扰,无论打多少次高尔夫球也毫无用处。这些都没有影响他的心情,今日他跟我们说了一个钓鱼者和渔夫的故事,我们听后都哈哈大笑,为此他很高兴,于是问我:"洛克菲勒先生,你愿意做钓鱼者还是渔夫?"我笑着说:"如果我做钓鱼者,相信现在还不能和你共度这些闲暇的时光。"

的确，我认为钓鱼者虽然是一心一意做好一件事，但他能获得的报酬都是有限的。而且，投入的时间成本太高，但又不一定能够获取他想要的那条鱼。

我们都是这样，总以为一心一意地做好某件事就会成为这个领域的天才，但每个事情都有成败两种情况，每个情况发生的概率都是 50%，这样的风险实在太高，一旦失败，想收回自己投入的金钱和时间都是十分困难的，最后只会一事无成。

不是说这种方法不对，但能够选择的机会实在是太少。他们在钓鱼之前也许想过很多，例如：我要钓什么鱼，这些鱼用什么方法容易上钩，哪里有这样的鱼，等等。这些他们都会加以考虑，但无论你考虑得多么周全，仍然会有其他因素限制你钓到喜欢的鱼，例如：有一种鱼也会被这种方法引诱，然后上钩；也有可能鱼饵被其他鱼吃了就逃跑了，最后只会是空欢喜一场。所以钓鱼者并不适合我。

渔夫采用的方法就很不同，由于渔网的范围比鱼线大很多，他们总能捕捉到各种各样的鱼，在这些鱼中总有一条是他们想要的，那么成功的概率就会大很多。我不喜欢一味执着于某一条鱼，这样就变得顽固和古板了。我喜欢利用商业的头脑去衡量行为的价值，只要这种鱼能为我创造最高的效益，那么我就会毫不犹豫地选择它。

约翰，我曾经也跟你说过解决问题的方法有很多，但什么方法最优单凭我们的思考或许不能作出正确选择，毕竟我们的能力都是有限的。我们要学会把这些方案方法都付诸实践，然后选择出对我们最有利的方案为我们完成任务，这样我们才能获得自己想要的成果。

当然，即使选择了当时认为最好的方案也不能掉以轻心，因为实施的环境每天都在变化着，我们要时时刻刻都保持警惕，及时地对方案进行修正，不偏离最后的目标，这样才会增加我们成功的概率。

每个人都说我是商业奇才，总是充满魄力。其实你也可以，因为完成每件事情都有很多的方法，你必须保持清晰的头脑，然后学会运用各种方法探索策略成功的可能性，大胆实施。无论在实施过程中遇到什么困难也不要轻言放弃，努力执着自己的追求，不断地修正和完善方式方法，那么成功就会如期而至。

身为企业的领导人，我很清楚自己只是方案的决策者，不是执行者，因此我从来不会限定下属要用什么方法去完成任务，因为事情总是充满变数，我们要学会不断地调整自己的计划，修正自己的计划，最后达到自己想要的效果，这些都离不开方法的探索。而最后选取什么方法就需要我们做出策略性的思考了。

很多人的思维模式都很传统，甚至一旦发现这个方法能够达到目标就会不加思索地采取行动。但生活的环境每天都在变化着，当初的成功案例只适合当时的环境，他们不会因地制宜，总是故步自封，导致最后得不到自己想要的成果，甚至失败。这些都是他们没有进行策略性思考的结果。

约翰，策略是一个企业成长的蓝图，我们要学会运用弹性的思维对待它。这个世界没有一成不变的企业蓝图，它是随着时间的推移不断地被修正的。作为一个成功的领导者，不但要规划公司的发展方向、发展目标，也要像将军一样带领整个团队向前勇猛杀敌，只有做到这一点才能赢取战争。

作为一名将军必须要有勇有谋，无论身处的环境多么恶劣，你都要用非凡的勇气和决断力带领团队杀出重围。在战场上，每天面临的挑战都是充满变数和难以把握的，如果我们不能及时地收集资料掌握战局，就会让自己身处困境，甚至不能呼吸，最后连抗争的能力也没有。如果你的队友碰到这样一个将军，相信他们也会觉得自己倒霉，谁也不想赔上性命来跟一个没有探索能力和随机应变作出正确作战策略的人去打拼江山。

所以，无论你身处的环境多么恶劣，也要大胆地思考解决问题的办法，让自己不断地探索，做出策略性的思考，因为你背负着让整个团队不断壮大和发展的使命，让跟随你的人永远拜服你的能力，为自己创造更多有利的条件，形成自己的势力。

约翰，成大事者除了有谋略外，还要保持乐观向上的心。不要因为困境而感到绝望，天将降大任于斯人也，必先饿其体肤，劳其筋骨，因此，我们要用自己坚毅的意志去克服困难。我们遭遇的每件事情都是生活对我们的考验，只要我们心中抱有希望，当事过境迁，你会发现这些都不过是为了成功而必须经受的磨炼。乐观向上的精神比什么知识都重要，拥有这种精神的人无论身处的环境多么复杂，也能想到应对危机和困境的方式方法，然后全力以赴，走出属于自己的路子。

探索策略的可能性能为我们找出解决问题的最佳方案，而且能够体现一个人的战略眼光。如果要走得更远，就离不开战略性的思考。

约翰，充分地发挥你的才能吧，不要因为某种方法能够让我们得益就执着地认为没有比这个更优的方法，我们必须要学会在方法的大海中用渔网尽可能地捕捉更多的大鱼，那么捕捉到自己喜欢的那一条的概率就会越来越大。

这就是探索策略各种可能性的优点，我们只会离成功越来越近，而不像钓鱼者那样对钓到自己喜欢的那一条毫无把握，甚至感觉是在听天由命，浪费精力和时间。

成功的商人是那种会把被动变为主动的人。

爱你的爸爸

小贴士：

探索策略的可能性是我们每个人必须具备的素质，当今社会日新月异，如果故步自封，墨守成规，那么我们只会被优胜劣汰的社会淘汰，最后只能一事无成。为避免产生这样的恶果，身为家长必须要做到以下几点：

1.向孩子们灌输不断学习的理念，让孩子们不惧怕新事物；

2.鼓励孩子做好学习规划，并鼓励他们学会适当地调整计划，让自己成为社会需要的人才；

3.不随意否定孩子们的思维策略，鼓励他们勇敢实施，并及时总结经验教训，适时调整自己的行为；

4.必要时让孩子们把想到的方法都实施一次，从而让他们主动地筛选对自己有利的方法，做出正确的行为。

作为孩子应该做到以下几点：

1.学会制定自己的计划，可以是学习计划、活动计划等；

2.为完成自己的计划想出各种各样的方法，然后大胆地尝试认为最优的方案，从中学会根据情况修正自己的行为；

3.多与成功的人探讨解决问题的方式方法，然后分析思考自己的方法和他的有什么不同，怎样做才能做到他们这样行为；

4.多阅读有关的资料和书籍，让自己的思维在思考中进步。

第7课 / 借口是制造失败的根源
——洛克菲勒写给孩子的第16封信

> 课前引：成功者永远不会为自己的错误寻找借口，总是乐于接受现实，及时总结经验，让自己不断地修正行为，直至取得成功。而失败者总喜欢为自己的错误寻找各种各样的借口，甚至他的整个灵魂都会被借口侵占，最后不思进取，与成功失之交臂。

心爱的约翰：

我很喜欢和斯科菲尔德船长打高尔夫球，他每次比赛都很认真，不断地思考怎样才能获胜，想为自己争一口气，因为直至现在他一直都是输球状态。输球虽然让他对自己很生气，但他从来都不会为失败找借口，总是在思考自己这次有什么做得不好，是什么原因导致自己再次失败，然后又会再跟我约时间比赛。其实如果他为自己的失败寻找借口我觉得也没有什么，毕竟他的年纪也不小了，大可以用身体状况来为自己的失败掩饰，但他从来也不会说出这样的话语。

借口是制造失败的根源，这种现象在生活中屡见不鲜，凡是喜欢为自己的失败找借口的人都是生活的失败者，他们从来不会认真总结自己失败的经验，而只会为了维护自己的尊严不断地说出各种各样的借口，最后甚至连自己的灵魂也被这些借口侵占，最后就冠冕堂皇地认为事实就是如此。

喜欢找借口的人多少有点心理疾病，他们从来不会认为自己有什么错，甚至可以用思想慵懒来评论他们，因为每次让他们做事，他们都会千篇一律地说我为什么不能做，我没有这样的能力，我本来身体就不是很好，我没有时间等等。这些都是失败者和平庸的人们常用的借口，对他们来说没有比这些更合适的语句了。

约翰，不知道你喜不喜欢寻找借口的人，我就十分不乐意与这种人交往。我在他们身上只看到消极的情绪，这些情绪导致他们无论做什么都会是失败的，甚至有时看着这种人我会十分恼火，因为他们好像从来不知道事情还有积极的一面，总是在失败的阴霾中生活，让我有时感到喘不过气来。

承认自己是失败者的确是一件需要勇气的事情，但如果你一味寻找借口掩盖自己的失败行为，这只会让你越来越失败。生活总是充满挑战和考验的，如果仅仅因为一次的不成功就把自己定格在一事无成上，那么即使你能够遭遇幸运，相信也会被它偷偷地溜走，而且自己还浑然不觉。这样愚蠢的事情我们没必要去做。

当我们失败时，勇敢地说出造成失败的真正原因，这样你才能让自己不逃避问题，与问题直面相对，只要你有勇气和它直面相对，它就会变得越来越小，最后就像烟雾一样被阳光冲破，消失得无影无踪。

在众多借口中听得最多的是人们用自己的健康来做借口，但能够拥有100%健康身体的人少之又少，我们又何必无病呻吟。就像盖茨先生曾介绍过一位大学教授给我，他只有一只手，但很乐观，生活基本是自理，很少要求别人帮忙，和他聊天总是乐呵呵地笑，让人感觉不到他是一个残疾人。他说："两只手当然比一只手好很多，虽然身体有缺陷但毫不影响我的正常生活，况且我没有任何心理疾病，灵魂健康得很。"

生理上的小疾病没有影响我们的正常生活，我们大可不必理会它，大胆地进行自己的计划，并不断地总结和修正，实现自己的人生价值，这才是最重要的事情，如果一味小病当大病医，最后让自己的心灵染上消极不安，杞人忧天的疾病才是最痛苦的。消极的情绪严重地影响我们前进的动力，甚至让我们得过且过，不思进取，最后或许只能枉度此生了。

另外，还有一种借口很常见，但一般人都不会把它说出来，只会在自己的心中默念，因为谁也不愿承认自己的智慧不如别人。这种人很不自信，总认为自己不如别人聪明，别人总是能够想到自己想不到的东西。但我想说，他们的病态实在是太严重了，造物主给予我们一样的脑袋，至于要怎样运用完全只由我们自己支配。之所以感觉别人比自己聪明，仅仅是因为别人比我们想多了一点点，这就是差距。只要我们不为自己的失败寻找借口，那么我们很容易就会发现这个问题，最后总结经验，那么相信一切也会如你所愿。

约翰，光有智慧要在商场上打败对手是不可能的，重要的还有我们的做事心态。如果我们做事积极、上进、热情，那么所有的困难看起来不过是一个小小的考验，因为乐观的情绪从来不会把问题放大，只会觉得这些不过是前进路上必须遭遇的小小石子，它们根本没有任何能力把我们绊倒，只能为我们提供一点点摩擦，让自己不至于在平滑的路上没有一点重心。

在我们的周围有很多有智慧的人，但他们的成果却比不上一个智力平平但乐观向上、对生活充满热忱的人。因为他们遇事的心态很消极，总觉得命运之神对自己很不公，每次都把小小的生活挫折无限放大，甚至自怨自艾，总是生活在黑暗的阴霾之中，最后让自己的才干不能伸展。这就是他们失败的原因。

如果我们要创造幸运，首先一定要摆脱借口对我们灵魂的侵蚀，如果不能懂得这一点，那么我们通往成功的路就会越来越长，最后可能连成功之门也没有见着就闭上双眼了。

所以，成功的人是那种对事情充满热情，而且每天都乐此不疲地工作着、思考着的人。这不是由一个人所受的教育和智力去决定的。所以无论你在学业上多么优秀，也不代表你能在商场上独占鳌头，成为成功的企业家、实业家。

当然，学习知识也是人生很重要的课题，但培养自己拥有乐观、向上的精神比什么都重要。只有我们做事的心态正确，才能更好地发挥自己的聪明才智，抵达自己追求的目标。所以，不要用智慧作为我们做事失败的借口，一定要学会从自身的情况寻找原因，很多时候事情之所以失败与客观因素无关，只与主观因素有关。一个自尊自爱的人，从来也不会为自己的失败寻找借口，只会从自身出发，不断地总结和修正行为，让自己更优秀。

约翰，优秀的企业家从来不会否定自己的智慧，因为他们很清楚自己的智慧程度，也很清楚自己拥有的资源，而且也知道决定自己在商场成败的因素最重要的不是拥有的智慧和资源，而是自己遇事、处事的心态。只有拥有良好心态的人，才能充分发挥自己的智慧，利用自己的资源，甚至开发资源，让自己的企业在行业中不断发展壮大。我们每个人都不过是一个普通人，但心态却不尽相同，因此造就社会中存在各种价值观和世界观的人。

至于社会角色完全由我们自己去选择，如果你要成为一个成功的企业家，那么请思考一下成功的企业家需要怎样的条件和素质，然后摆正自己的心态，不断地朝着这个目标前进，最后幸运之神也会找到你。

单靠天赐幸运获得成功的人少之又少，因此我们不必用不幸运来做失败的借口，这只会让我们的心态越来越不平衡，因为总觉得命运之神很不公，最后导致自己怨天尤人，这又何苦。

事情的成败我认为只取决于因果关系，有其因必有其果。这些都要求我们必须谨小慎微，认真思考、认真策划、认真行动，乐观向上才能看到成功之门离我们越来越近。即使是参照那些成功的人们，我们也不难发现，他们的成功从来都是经过艰辛的努力，艰苦的奋斗，甚至是屡败屡试得出来的结果。天下没有白流的汗水，没有免费的午餐，我们必须摆正心态，远离借口，这样才能活出自己想要的那份精彩。

　　人生是一个修炼的过程，我们必须时时刻刻保持良好的心态，善于总结经验教训，最后修身养性，专心致志地追求目标，那么，我们想要实现的人生价值就会显得越来越真实。

　　约翰，借口是制造失败的根源，我们要把这句话作为人生的座右铭，只有这样，我们才能从各种各样的借口中摆脱出来，摆正心态，追求自己的事业，修正自己的行为，让自己不断地成长、成熟。

爱你的爸爸

小贴士：

　　借口是制造失败的根源，我们要防止自己寻找各种各样的借口，这样才能实现自己的目标、自己的价值。作为家长，我们要做到以下几点：

　　1.当孩子们遭遇挫折时不要过分紧张，保持内心平静，然后静静地听他们诉说内心的感受；

　　2.当孩子心情平复后，想办法引导他们说出失败的原因，如果发现是借口，要控制自己的情绪，然后慢慢引导他们找出真正的原因；

　　3.如果孩子表现消极，大可以安排他们重复类似的事情，然后适时地向他们传递正能量，增强孩子们的信心；

　　4.让孩子们多读励志类的书籍，让他们保持乐观向上的心态；

作为孩子应该做到：

　　1.不要因为失败就灰心丧气，大胆地面对失败，总结经验教训；

　　2.要杜绝自己为失败找任何借口，弄清楚造成失败的主要原因；

　　3.如果靠自己的能力不能找出失败的原因，向信任的人倾吐，从他们那里获取帮助；

  4.做事前大可进行自我激励，让自己保持冲劲和活力；

  5.多读励志类的书籍，洗涤自己的心灵。

第8课 / 偏执和自满是制造贫穷的主因
——洛克菲勒写给孩子的第18封信

> 课前引：金钱是我们人类在社会生活中必不可少的物质，但我们不能因此就成为金钱的奴仆，而应该让金钱变成我们的奴仆，这样我们才能为自己的成功打下坚实的基础。

心爱的约翰：

  每次看到别人因为固执和自满酿成悲剧我都觉得很可惜，在生活中总会遇到很多问题，有人的地方就会有矛盾，但如果一意孤行和自以为是，那么你就会对生活越来越心灰意冷，最后让自己遭遇不幸。大多数人之所以贫穷也离不开这些原因。

  我曾经在做礼拜的时候碰到一个叫汉森的年轻人，他节衣缩食，总以为这是守住财富的最好方法，但我感觉他精神上觉得很痛苦，因为即使自己拥有金钱，但也不能随心所欲地进行花费满足自己的精神和物质需要。

  他说想和我探讨一下金钱的作用，并引用了《圣经》里面的一句话："金钱是物欲的魔鬼。"当我听到这句话时我立刻明白为什么他会以这种非人的方式去守着财富，因为他误解了《圣经》对金钱的诠释。但我想把这个朴实的男孩从错误的观念中解脱出来，因此对他进行诱导："《圣经》里面的警句我们当然要认真遵守，因为它是人类文明的结晶，但你似乎忽略了这句话前面的一些话语，在'金钱是物欲的魔鬼'前面还有一句'不懂善用金钱'。"汉森听后突然目瞪口呆，然后陷入沉思之中。

金钱不过是我们满足物欲的一种工具，如果我们过分地节制自己使用这种工具，那么我们的需求就会被制约，最后严重影响我们的生活和思想，甚至行为。像汉森这样的守财奴相信谁看了都会觉得讨厌，因为他不知道自己的辛勤劳动是为了满足自己的日常需求。另外，金钱也是保护自己的亲人、朋友最好的工具，人们遭受的困境很多时候都需要用金钱来解决。我并不是要把金钱的力量神圣化，只不过现实的社会生活要求我们必须要学会善用金钱，然后懂得让金钱成为我们的奴仆，不断地为我们进行服务，满足我们的生活需求。

因此，为了让汉森能够更明白金钱的作用，我建议他善用时间去赚取金钱，然后为自己的未来增添一份保障。也只有这样，我们才能更好地保护自己，保护家人。每个人在生活中都不是独立的个体，都有要尽的义务和责任。为了更好地履行义务和责任，我们必须壮大自己的力量，而最快捷的方式就是赚取金钱，获得金钱，善用金钱。这个世界没有人是永远的穷人，只要改变观念，认真勤奋，学会理财，那么金钱就会成为我们的奴仆，使我们的力量不断地增强，那么幸福就会常伴我们的左右。因此，不要被固执和自满阻碍我们的行为，让我们产生错误的观念，然后导致我们产生错误的行为。如果我们要获得成功，那么首先要摒弃那些阻碍我们前进的观念，也只有这样，我们才能使自己大放异彩。

汉森看起来是一个很聪明的孩子，他的生活不应该停留在这个阶段，希望他能接受我的建议，改变自己的观念和思维，让自己取得成功。

有一句俗语："钱不是万能的，但没有钱却万万不能。"每个人都因为钱能够换来物质和精神的满足感到幸福。就像一对情侣，如果对方为自己挑选了一份期待已久的礼物，你会不会感觉很甜蜜、很浪漫。但这份礼物的获得就要用金钱去获取，所以，赚钱是我们人生的重要任务，只有有了钱才能让自己和身边的人感到幸福。

但有些宗教的教条希望人们学会以贫为乐。没有物欲的人生，才是富足的人生。我不能说这种观念错误，但我个人不会遵循这种教条去生活。就像一个人说他不喜欢金钱，我认为这是他逃避责任的借口。没有金钱就是说不能保护自己，不能保障家人的生活无忧，不能让自己从烦困中摆脱。我们不过是一名凡夫俗子，一切都是为了生活。相信受过困苦的人都很清楚，如果没有金钱，那么我们就会惶恐不安，害怕面对困难，不能守护自己想守护的那个人。

成功虽然不能用金钱的数量来衡量，但你对社会的贡献却可以用金钱来衡量。相信这个是所有富有的人都明白的道理。就像我们销售了一些产品获得收入，但这些收入不能全部据为己有，因为我们还要纳税，支持国家的财政。如果一个国家的富人比较多，那么它的社会环境也应该是比较文明，也比较适合人们经商。因为它的财政收入很高，能利用这种收入来建设社会设施，提供公共事务服务，也能帮助困难家庭解决燃眉之急，这样也能促进社会的文明进步。

所以，财富是实现自己人生价值的有效工具，当你为社会奉献得比较多时，你是否会感觉很有满足感，是否会觉得自己很成功。金钱让我们获得了精神的需求，让我们不断地追逐属于自己的那份价值。

当然，获取财富的手段必须是正当的，只有采用正当方式赚取的金钱才能让我们昂首挺胸地接受人们的赞誉。生活中，也不乏那些做了好事不留名的人。无论怎样，都需要金钱的支撑，才能干自己想干的事情。

很多人都只看到钱丑陋的一面，却没有看到其积极的一面。对于这种人，我只能说他不懂得钱，他认为钱是万恶之源，因此觉得它们又臭又霉。但我却不这样认为，因为钱是既光滑又温暖的。

记得小时候听说有人从淘砂场掘到黄金，而且价值不菲，因此听到这个传闻的人就汹涌而至，这其中包括我。我虽然年纪很小，但我很崇拜金钱，它不但能让我和家人获得温饱，也能让我接受教育，减少父母的负担。每当我物质比较贫乏的时候我的头脑中就会浮现一句话："我不是天生的穷人，我能获得财富，能为这个社会做出贡献。"因此，我很喜欢赚钱，很喜欢把赚到的钱进行合理分配，让自己不但物质富足，而且精神上也很富足。

这或许和我的家庭环境有关，我的母亲赚钱不是很多，有很多热心的人都喜欢帮助我们。但我的母亲自尊心很强，虽然接受了别人的帮助，但还是会教导我们要学会感恩，并不断地向我们灌输赚钱的重要性。在这样的环境熏陶下，我发誓自己以后一定要成为富人，不但要解决自己和家人的需求，保障他们的生活，而且也要帮助需要帮助的人。只有这样的人，才是忠于自己，忠于家人的人。

约翰，赚到钱还要学会合理地利用钱。相比于把钱花在那些华丽的服饰、奢侈的物品上，我更喜欢把钱用在帮助别人和贡献社会方面，因为这能为我赢得荣誉，实现价值。也只有这样，我才感觉自己是活生生的人类。

我的信念让我不断地追逐金钱，并不断地让金钱成为我的奴仆。它不断地发挥效能，不断地壮大，使我贡献社会的使命感越来越强烈。当然这也需要一定的技巧，如果处理不当，很容易就会被金钱操纵，让自己成为它的奴仆。所以真正的赚钱之道是：让金钱成为我们的奴仆，并不断地合理使用金钱，为自己创造价值。

爱你的爸爸

小贴士：

金钱是我们在社会生活中一定会接触到的东西，怎样才能端正自己的金钱观是人生的重要课题。一旦处理不当我们就会成为金钱的奴仆，所以我们一定要学会摆脱自己顽固和自满的心态，让自己正确地对待财富，这样我们才能摆脱贫穷，让自己的生活不断地富足和幸福。作为家长，教导孩子如何正确地对待金钱也成为当今家庭教育的重要课题，一旦孩子沾染了金钱丑陋的一面，要改正过来就会显得十分困难，因此应做到以下几点：

1.按照孩子的实际需求给予零用钱，让孩子学会不乱花一分钱，每分钱都要体现出它的使用价值；

2.当孩子有其他不是很紧急的用钱需求时，让他们学会挣钱，如安排他们做家务，让他们知道金钱是需要汗水换来的；

3.多让孩子参加一些社会活动，例如慈善活动等，让他们知道金钱有很多正面的用处。

作为孩子应该做到以下几点：

1.父母给的每一分钱都要珍惜，不随意浪费金钱；

2.合理安排金钱的使用，使金钱发挥最大的用处；

3.找机会试着用钱生钱，不断地总结每一次经验，学会让金钱为我们服务；

4.每一次赚到钱都要重新合理安排，享受钱带给我们的快乐。

第9课 / 勤劳工作能带给我们财富
——洛克菲勒写给孩子的第15封信

> 课前引：1907年洛克菲勒回复了孩子寄来的信件，在回信中强调了勤奋的力量，让我们来细读品味一下，看看勤奋对财富的影响。

心爱的约翰：

很高兴收到你的来信，在信中你说出"勤奋是获得财富的重要手段"，我十分赞同这句话。我从来没看到任何每天都睡觉享乐的人能够赚取财富，他们都是表面风光，没什么好羡慕的。

媒体杂志说我是天生的赚钱机器，总能从生活的各个方面看到赚钱的机会。对于这些谬论我从来都不会加以理会，毕竟我很清楚自己的财富不是随手可得的，都是我勤劳艰苦奋斗的结果。别人总是戴着有色眼镜来看待我们这样的人，总认为我们好像交了什么好运才有今日的成绩。带有这种观念的人不用看也知道是一个善妒的人，而且对于如何获取财富从来都不得要领，喜欢浪费自己的时间。

我认为如果有时间去打击别人，不如把这些时间用来赚取财富。上天从来都不会亏待那些勤劳刻苦工作的人，总会给予他们一定的报酬，因为他们的勤劳是一种值得嘉奖的好习惯。

约翰，你也知道我们是这个国家的移民民众，初来乍到肯定人生地不熟，这就让我们为了保护自己，让自己能够融入这个国度而不断地刻苦努力。你祖母很早就把勤劳、节俭、刻苦、奋斗以及把握谋生机会这些良好的品德传授给我们，让我们知道生活的艰辛。如果要变得富裕就一定要勤奋工作，并尽力成为工作中的劳模，也只有这样我们才能比别人更优，为自己创造更多的机会。

当然，能否把握壮大事业的时机也很重要，机会只留给有准备的人，因此只有你时刻保持警惕，你才能把握机会，壮大自己的实力。我能够成为商场上的常胜将军与我能够把握机遇是离不开的。就如人们所说南北战争给予我成为巨人的契机，难道成为商业巨人是我命中注定的事情吗？我可以理直气壮地把这个观点进行否定。因为我知道自己为了成为巨人付出了多少，这一切都是勤奋带给我的成果，能得到这个成果我问心无愧。

勤奋工作是获得财富的重要手段，这是我一生的座右铭，我从来不会让自己停下来，勤奋地工作，勤奋地思考，勤奋地实践，这些都是我与财富必定相遇的重要因素。

但凡成功、享有社会地位的人都是勤奋的人，他们每天都会马不停蹄地追赶自己的目标，遇事冷静、果敢、坚毅，从来不会轻易向命运低头，也正因为他们拥有这样的特质，才让他们赢得了尊重，赢得了地位，赢得了财富，甚至被人们称为"巨人"。

我的儿子，生活总是在变化着，如你所知，我小时候的生活十分艰辛，每件衣服都有补丁，经常要其他好心人接济。但现在我不再是那个弱小，贫困的小男生，我已拥有自己的企业，甚至是行业的巨头，同时也成立了自己的慈善机构，帮助那些需要帮助的人，也利用我自身的影响力让这个机构能够不断地运营下去，成为社会一个重要的慈善角色。所以，没有人一辈子都是穷人，也没有人一辈子都是富人。每个人都必须保持勤奋，那样才能改变自己的命运，或守护自己现时享有的名誉和地位。

人的成败都取决于自己，只要你保持谦虚的心，勤奋的行动力和思考力，那么成功的大门也会为你打开，让你不断地充实自己并感到精神富足。但社会中不乏有一点点财富就沾沾自喜的人，他们总认为自己的赚钱能力是永久的，每天行动散漫，贪图享乐，殊不知时间正慢慢地取回财富，最终将让他一贫如洗。

约翰，你一定要时刻告诫自己和孩子保持勤奋的精神，这些都是为了你们自己。因为无论谁，如果不经过自己的勤奋劳动，勤奋思考，财富是不会来敲门的，它只会青睐那些懂得珍惜它、守护它的人。

我很小的时候就知道，只有勤奋才能改变自己的命运，才能让自己衣食无忧。因此，我每天都把时间安排了满满的事情。什么时候做作业，什么时候给羊喂食，什么时候挤牛奶，什么时候种田，什么时候帮助母亲收割庄稼，什么时候到市集，等等，正因为有了合理的安排，我从来都不觉得累，而且也让自己谋生的能力越来越强。我不是一名成绩优异的学生，甚至接受能力也比别的同学差，但我每天都会花更多的时间复习，让自己理解书中的知识，并善于把学到的知识运用到实践中，最后成绩也大有进步。

我坚持不懈和勤奋的精神让我现在处事不惊，细心分析，并不断地在挫折中总结经验，以自信的心态迎接挑战，奋勇向前。

勤奋工作能带给我们财富，这句话一点也不假。勤奋是一种优秀的品质，就像我以前的雇主曾经说过我一定会成为一个有用的人，因为我总是不计较得失地勤奋工作，无论再苦再累也把工作顺利完成，甚至当时我有一个荣誉的称号：能力出众的记账员。当然，这些不过是勤奋带给我的衍生物，但这些衍生物是激励我们不断奋斗，不断努力工作的动力，也是对我们勤奋工作的奖赏。

尽管我的年纪已经很大，但我没有从商场退下来的念头，因为我还想要实现更高的人生价值。人都是在不断的追求中完善自我的，我认为自己还有进步的空间。即使我真是选择退休，我也不会停下我的步伐，因为想必我一定是有其他的计划。永不随意停止自己追求的步伐，勤奋努力地工作，也是生活教给我的一个重要的信念。

约翰，我就是这样走过来的，即使曾经只是芸芸众生中普通的一员。不甘平庸让我勤奋努力地改变自己的命运。因此不要以为一个人随随便便就能成功，他们每天都用自己辛勤的汗水对心中喜欢的果树进行灌溉，才让它不断在汗水的滋润中茁壮成长，最后开花结果的。

约翰，勤奋是获取财富的重要手段，而且这一切都不是为了别人，而是为了你自己，我们在接受财富对我们嘉奖的同时，还要静下心来认真分析一下自己是否真的努力了，在反复的反思中完善自己的行为，让自己有获得财富的资格。

爱你的爸爸

小贴士：

勤奋工作都是为了我们自己，要让自己成为生活的强者，获得想要的财富，那么请勤奋工作，勤奋行动，勤奋总结经验吧。命运之神从来都很公平，不会让常流汗水的人流下眼泪，因为他知道你为了实现自己的人生价值付出了多少的代价。作为家长也应正确引导孩子勤奋的精神，为他以后在激烈的社会竞争中脱颖而出打下基础。为此请做到以下几点：

1. 以身作则地勤奋工作，让孩子们知道劳动成果的获得是需要流下汗水的；
2. 让孩子经常参与到家中的事务上来，让他们养成勤劳节俭的习惯；
3. 让孩子们合理地安排作息时间，并严格按照作息安排做事，让他们知道勤奋是没有借口的；

4.多列举一些勤奋的事例，让孩子们看到原来勤奋真能让自己成为想要成为的那个人。

作为孩子应该要做到以下几点：

1.合理安排自己的作息时间，让自己的生活变得充实；

2.多参加劳动，让自己明白只有付出了才有回报；

3.学会体谅父母工作的辛劳，主动包揽家务；

4.多花时间在自己喜欢的领域，并不断地思考、实践，提高自己在这个领域的悟性，成为自己想要成为的人。

第10课 / 领导力的头号敌人是责难
——洛克菲勒写给孩子的第32封信

> 课前引：要让自己拥有让下属拜服的领导力，我们就要学会避免责难，避免推诿，一旦形成这样的习惯就会严重影响我们的领导力，最后只会让自己的员工不敢承担责任，严重影响工作的效率。

心爱的约翰：

我要跟你说一件你会感到惊讶的事情，就是安德鲁·卡耐基先生竟然放下身段和我探讨问题。按理说他是一个自尊心很强，而且整天都认为自己是世界首富的人，对于他竟然和我探讨问题，我真有点受宠若惊。

前天，卡耐基先生前来基奎特拜访我，或许是因为谈话的气氛很和谐，而且我们都谈得很尽兴，卡耐基先生突然一改以往严肃的脸孔，用向我讨教的方式问我是怎样把员工管理得这么好，他们看上去虽然能力出众，但并不是无懈可击，为何每次都能顺利把竞争对手击退，成功地把项目拿下。

面对他诚恳讨教的态度，我真是不好拒绝告诉他我的领导方式。我说："我认为一个称职的员工应该是一名拥有责任感的员工，他们很清楚自己在企业中扮演的角色，并知道自己如果要顺利完成公司委派的任务需要做什么，怎么做才能顺利完成，这个任务要求我要做到怎样的程度。这些都需要他们认真思考才能采取行动。或许正因为我培养了他们的责任感，才让他们的才干得以充分发挥，面对工作任务能够应付自如，最后成功地完成工作的任务。"

说到这里我以为我们的谈话就此结束了，谁知卡耐基先生被我的言语吸引了，而且充满好奇心，希望从我的嘴里挖出更重要的信息。然后他诚恳地问："您能告诉我具体的操作方式吗？"

对于他一反常态的行为我有点按捺不住，但也不好推却，因为对于他这种自尊自爱的人来说，能够问出这样的问题，是需要很大的勇气的。所以只好把问题的答案如实地说出来。

我认为每个人都是独立的个体，他们都有思考力和行动力，因此，只要我聘用了这个人，我就会相信他的才干，下达任务后就让他们任意发挥才干，如果得出来的结果不是我想要的，我很少会责难他们，而是不断地思考究竟自己在哪一步出错才产生这样的恶果。也由于我的注意力被寻找问题的关键吸引，因此我并没有多余的时间去推诿责任，甚至检查他们到底做错了什么，他们应该要为这个恶果承担什么责任。

我喜欢和他们一起面对问题，分析问题，然后找到解决问题的方案。因为我知道一味地向他进行责难，或许会错失解决问题的最佳时机，酿成更严重的后果。

　　在商场打拼多年，我明白每个人都会犯错误，但当错误严重影响我们的运作时如果只关注责难员工，那么就为其他竞争对手提供了攻击的缝隙，最后只会让自己在行业竞争中失败甚至消失。时间是成功的关键，我们与其把时间花费在责难别人身上，不如争取时间解决问题，让自己的企业在行业竞争中坚不可摧，让窥视我们行业地位的人无从下手，永远立于不败之地。

　　从自己身上找原因与自责是不能等同起来的。自责是自己向自己责难的意思，是一种消极的行为，它只会阻碍我们的行动力和思考力。而思考我在哪一步出现了问题，犯了错误是一种积极的行为，它让我们保持冲劲，不断地前进。我们要学会摆脱自责、责难、推诿给我们带来的消极影响，只有不断地分析问题，解决问题才能让我们把握事情的重心，让事情在稍事休息后得以继续进行。解决问题也是一种宝贵的经验，它让员工和我的能力都有很大的成长和进步，何乐而不为。

　　如果错误能为让我不断成长，并不断增强自己的实力，那么相对于责难别人，得到一时的心灵安慰，这些对我不是更有用吗？只有自己的实力增强了，别人对我的影响力才会变得较小。

　　当然，我也不会盲目地解决问题。我把一个员工聘请进来，当然很清楚他要为我做什么，而且应该要做到什么程度。如果他不能胜任这个岗位，无论我怎么宽宏大量也容不得他继续待下去，只能让他另谋高就了。对于我自己的责任我当然也了然于胸，我不是一个十全十美的人，能力也非常有限，但我会让事情尽善尽美，达到自己心中的标准。雇员是辅助我完成任务的重要合作伙伴，我很尊重自己的伙伴，也信任他们。因此，我很喜欢他们能够承担辅助的责任，并让自己清楚地知道自己在一项任务中扮演的角色，也只有他们清楚自己的角色和责任，他们才会明白企业的利益也是自己的利益，才能以主人翁的姿态去守护企业，为企业做出贡献。

责任的力量是强大的，它不断地激发我们的潜能，不断地让自己的行为符合企业的标准。除了赋予他们责任感我还会给予他们信任感。当发现自己被信任后，每个人都会保持兴奋的工作状态，以最高的效率完成公司分派的任务。我当然明白他们的责任应该承担到哪个程度，我绝对不会让他们承担一些他们能力以外的责任。这也是我判断员工能力的一个重要标准。

我们石油公司有一个重要的领导文化，就是赋予员工责任，让他们充分发挥才干，但不允许为自己的错误寻找任何借口，必须为自己的行为负责。他们可以随意发表意见和建议，但对自己说出的话语一定要负责任。所以我的员工都十分谨言慎行，他们在享受特权的情况下，也清楚自己的责任，从来不会拿工作任务来开玩笑，坚守公司的信条，并按时按质按量完成自己的工作任务。在这样的工作氛围中，雇主和雇员都彼此信任，雇员知道自己的付出会有回报，但自己的错误要承担责任，因此他们从来也不会为自己的错误寻找借口，而是努力地思考补救的措施，让公司的损失最少。

卡耐基先生是一名很优秀的学员，听后微笑点头，并向我竖起大拇指。并说出了领导力的精华思想："真正的领导力是赋予员工承担责任的权利，如果一味责难，只会让员工自怨自艾，甚至为工作而工作，不能发挥主观能动性。"

约翰，聪明的领导者从来都不会责难员工，并把失败的原因都全部推诿在他们身上，这只会打击团队的士气，无论一个雇员多么有智慧，也会在这样的责难声中沉默，最后导致企业陷入困境之中。

作为领导者，应该营造一种活跃的工作气氛，善于聆听员工的诉求和建议。特别在一些重要商业项目上，我们要学会让他们主动发言，主动包揽责任，主动完成任务，主动解决问题。否则，领导人就会被烦琐的事情围绕，最后让自己陷入困境，无所适从，分不清事情的主次。我们必须学会授权和分工，让员工在责任的驱使下不断地发挥潜能，为企业和社会谋福祉。

善于聆听的人是成功的领导者，我们可以通过说话的表情、动作、语气来分析这个人的心态。是真诚的建议，还是恶劣的诉求，这些都可以通过分析获得。有时人们会把一些真正的意思隐藏在话语的背后，这就要求我们一定要学会有效地选择信息、分析信息，然后才能弄懂说话人的目的。通过分析理解信息，我们就能更好地作出判断，让自己走出迷惘和混乱。当然有时有些人说话很不注意技巧，甚至十分恶劣，我们没必要被他这种情绪影响，然后据理力争，这样不但大损形象，也会让别人有机可乘。一个拥有领导力的人除了赋予员工责任和避免责难外，还应该是一个聆听的高手，当你全神贯注地进行聆听时，你就掌握了话语权，并获得了权力。因为陈述者感觉你在认真听取他的意见，获得想要的尊重，他们就会把自己的想法毫无保留地说出来，这样你能获取有效信息的机会就会大大增加。

当你专注地听别人说话时，别人就会感觉你的态度很好，然后就会认真听取你的意见，然后不断地修正方案，达到理想的效果，这也是对你认真聆听的回报。当你专注于别人的话语，你很难会心不在焉，然后做出一些对对方不尊重的行为，这就有利于双方的谈判，或许正是这样的谈判才让你突发灵感，冲出思维的禁锢，把自己的创造力发挥得淋漓尽致。

约翰，聆听能力也是领导力的一种。当我们通过聆听获取信息，并作出决定后，我们要清楚地知道自己的责任和员工的责任，只有这样才能从责难和推诿中摆脱出来，让自己成为一个成功的领导者。

爱你的爸爸

小贴士：

真正成功的领导力是能够赋予员工责任，并提高员工企业归属感的能力。

我们必须清楚地知道领导力的头号敌人是推诿和责难，当我们遭遇错误时，一定要客观分析问题的所在才能提高解决问题的效率，才能让自己立于不败之地。一个家庭也如企业一般，家长就是当中的领导者，怎样才能提高孩子们的责任感和归属感也是一个重要的课题，因此，家长们可以从以下几个方面着手，让孩子们勇敢地承担责任，提高做事的主动性：

1.当孩子决定做一件事情时，如果条件允许提供必需的帮助，然后告诉孩子其他的事情需要他独自完成，最后把成功掌握在他的手中；

2.如果孩子最后不能顺利地完成任务，作为家长不要急于责难孩子，要客观地分析原因，这个过程最好让孩子参与其中，让他主动发现问题的所在，并改善问题；

3.把事情解决后，与孩子一起分析造成错误的主因，并不断地总结经验，提高孩子的处事能力；

4.如果是孩子力所能及的事情，家长们最好不要参与，让他们自主地把事情完成。

作为孩子应做到以下几点：

1.但凡是自己必须完成的事情，一定要主动完成，不要依赖别人，学会承担责任；

2.如果遇到难以靠自己能力解决的事情，要学会向信任的人寻求帮助，然后发挥自己的主观能动性努力地解决问题；

3.学会总结经验教训，让类似的事情不再发生；

4.面对责难和推诿自己要保持清醒，客观地分析问题所在，不要过分地自责，否则自己会陷入消极的泥潭。

第 11 课 / 世上没有不劳而获的事情
——洛克菲勒写给孩子的第 13 封信

课前引：1911 年，洛克菲勒先生面对媒体报纸抨击自己捐款数目少而写下这封信，为的是让人们知道世上没有不劳而获的事情，没有白吃的午餐。

心爱的约翰：

我已经看到报纸上说的事情了，但这一点也不影响我的工作，对于这种情况我可以说是司空见惯，不认为自己有什么错，因此不会向他们解释原因，也不会回应有关这个方面的任何问题。

我做每一件事都有自己的打算，很清楚自己的行为会带来什么，因此问心无愧。说句老实话，难道捐款是我的义务吗？捐款是一个人有爱心的体现，但这种爱是什么程度，我认为和事件的实质也有关系。我不是人们的救世主，我不过是一名普通的企业家，面对那些打算不劳而获的人，相信我会很警惕，因为我赚的钱不是用来助长别人的贪心的。所以相对于赚钱，出钱资助别人变得困难很多。

有一个寓言或许能够说明这个问题：有几头猪趁主人没关好门，从猪圈走了出来，经过几代的衍生，这些猪变得凶悍无比，甚至扰乱了当地居民的生活。有几位优秀的猎人听说此事后自告奋勇去降服这些猪，但这些猪面对猎人一点也不害怕，反而团结协作对猎人的追捕进行反击，最后让猎人们也避之不及。

但日子还是要继续的，当地的村民被这几头猪弄得人心惶惶，想了很多办法都不能把这几头猪抓住。后来有一个老人听说了此事就收拾自己的行李进山，而且还带着很多食物和木头。村民看到这位陌生人感到很奇怪，问："你要到哪里去，去干什么啊，怎么带着这么多木头和食物？"这个老人乐呵呵地笑了笑说："抓猪。"村民们不禁迷惑起来，因为这位老人的年纪很大，几位有勇有谋的年轻猎人都不能把猪降服，单凭一个年老体弱的老人就能把猪抓住，这根本没可能。

但过了几个月，这个老人真把这几头猪抓住了，并用车拉着它们从村前走过。村民纷纷围了过来，并为此感到很惊奇。于是都认真聆听老人抓猪的过程：

这个老人在抵达后做的第一件事就是寻找这些猪经常觅食的地方，然后把这些准备好的食物散落在那里，等候这些凶悍的猪的光临。

刚开始，这些猪看到这些食物感到不可思议，于是保持警惕地靠近食物，后来发现好像没有什么，而且又被食物的味道吸引，那头年纪大点的猪带头吃起食物来，其他猪也跟着一口一口地吃起来。

第二天，老人又在同一个地方散落食物，而且分量比第一天多一点，但在食物的周围竖起了一根木头。那些猪虽然看到木头也迟疑了一下，但面对食物的引诱，它们没有考虑太多，再次食用那些不用付出劳动就能吃到的食物。

往后几个月里，老人都重复着这样的动作，但这些猪好像习惯了一样，只要看到食物就蜂拥而至，但殊不知它们已经跌入老人埋伏的陷阱，他已经用木头围了一个猪圈，而且是那些猪无法逃脱的圈子。最后，这些猪在享受不劳而获的午餐中被捕获，后悔也来不及了。

约翰,你是一个悟性很高的人,相信不用我说什么你也明白这个寓言的道理。天下没有白吃的午餐,如果我们不保持谨慎,就很容易落入别人的圈套。这也很容易让我们联想到人性,每个人都有不劳而获的弱点,只是客观环境导致我们不得不参加劳动,并不断思考怎样才能获得自己想要的东西,人就会像那些猪一样变得凶悍。但如果每天都有免费的午餐,相信他的弱点一下子就会暴露出来,以致影响他以后的行为。

有爱心是一件好事,但教会一个人谋生的能力更有意义。因为我们能给予他的帮助不是一辈子的,通常都是为他解决燃眉之急。但如果教会他谋生,那么他将会受益一生,并有可能把曾经受过的恩惠回馈社会。

所以,对于资助金钱的慈善活动我很少参与,一旦他们获得金钱就会变得懒惰,甚至失去工作的动力,每天都等待别人的赠予,购买自己需求的东西。我们的欲望不应该由别人去支付,应该通过勤奋工作获得报酬去取得。这样我们才会明白人生是在于行动,只有勤奋地工作,勤奋地思考,勤奋地行动,我们才能实现自己的人生价值。人生的价值不是用金钱的多少来衡量的,它是由你的精神是否富足来决定的。

约翰,劳动是人类最基本的本性,因此我们帮助别人的最好方式是让他们学会谋生,学会通过劳动体现自己的价值,并不断地追逐自己的目标,向前奋进,这样才能让自己的人生变得饱满。不劳而获是那些弱者和厚脸皮的人做的事,我们要学会远离这种人,因为我们赚取的财富不是为了培养厚脸皮的人,而是为了让社会秩序和谐,每个人都应尽力地扮演自己的角色,为人类文明进步不断地奋斗。

有一个故事也能很好地说明这一点:有一个国王想让自己的子孙后代谨守各个时代人类文明的智慧,于是命人编撰一本有关各个时代的人类智慧的书籍。这些人受命后夜以继日地搜集材料,不断地编撰,最后写成了一本数万页的书。国王没有认真地看这些书的内容，只是说："太厚了，恐怕我的王子王孙们会感到厌烦，重新编撰一本薄点儿的吧。"

这些学者又再从书中挑选一些精华的智慧，最后编撰成一本具有几十卷的书。国王看了看又说："这书的内容很丰富，但似乎还是太长了，尽量再缩短一下吧。"

这些学者听后仍然不厌其烦地提取书中的精华，然后把书变成只有十卷的书籍，但国王还不是很满意，就这样他们把书由十卷变成一卷，由一卷变成一段，由一段又变成一句话。这句话让国王很满意，并对这些学者进行嘉奖，因为他认为没有比这句话更适合作为子孙的箴言，而且事实上这句话也真是历久不衰的真理："世上没有不劳而获的事情。"

约翰，我们也必须谨守这个道理，如果要想取得成功就一定要付出劳动，而且劳动的强度必须是常人的几十倍甚至几百倍。这样我们就会比别人以高出几十倍几百倍的速度取得成功，发出自己耀眼的光芒。

为了不枉此生，我们应该为自己的尊严留下必需的劳动和做出贡献。

爱你的爸爸

小贴士：

天下没有免费的午餐，没有不劳而获的事情，因此我们要学会谋生的能力，提高谋生的能力。只有这样，我们才能在芸芸众生中发出一点点光亮。正正因为有我们这些光亮，社会的文明才得以进步，成为众多星球中闪耀的明星。作为家长要让孩子学会劳动，告诫他们只有劳动的人才是值得别人尊重的人，因此要做到以下几点：

1.为避免孩子产生惰性，多让孩子参加劳动，并适时地向孩子说明劳动的意义所在；

2.孩子能力范围以内的事情绝不插手，让他们发挥潜力，独立完成自己的事务；

3.多说有关不劳而获害处的故事，让孩子们了解并理解不劳而获的消极影响。

作为孩子要做到以下几点：

1.独立地完成自己能力范围以内的事务，从不依赖别人，让自己的生活变得充实；

2.学会尊重社会中各个岗位的人群，因为他们都是靠自己的劳动实现人生的价值，这比那些不劳而获的家伙好很多；

3.多阅读有关劳动的书籍和故事，让自己的思想得以熏陶。

第12课 / 珍惜时间和金钱
——洛克菲勒写给孩子的第25封信

> 课前引：面对合伙人查尔斯先生的离世洛克菲勒先生很伤心，但一个人生命的结束并不代表他永远离开我们，因为他的信念时刻地影响着我们，就像查尔斯先生的信念——珍惜时间和金钱，时刻地影响着洛克菲勒先生的行为和生活。

心爱的约翰：

查尔斯先生永远离开我们了，为此我很难过。他是我最尊敬的合伙人，能够和他共创事业是天赐的福气。他有乐于助人的品格，无论自己身在何处都时刻关注那些社会的弱者，并亲自为他们送去温暖，相信天堂的大门也会为这样的人打开。他是我认识的这么多人中最有爱心和仁慈的，从来不会计较得失。

我和查尔斯先生虽然有时会在事业上产生分歧，但我从来都不会因此而减少对他的尊重。为表明他在我心中的地位，我经常在公司聚餐时把主席位置让给他，即使我是大股东。我也知道这些都是微不足道的事情，但这个事情却影响他在公司的地位和影响力，甚至关系公司的发展和壮大。

当然，公司的几名合伙人都是正直善良和值得我尊重的。他们都是喜欢以事论事的人，没有一点坏心眼，一切都从公司的利益出发，从来都不会打小算盘，为自己谋利益。因此石油公司得以发展壮大都离不开他们的贡献和信任。我们是一个团队，容不得任何人做出损害公司利益的事情，因此必须团结一致，无论发生什么事都要互相支撑，互相扶持，互相信任才能走过那些逆境。这也是支撑公司发展壮大的重要理念和思想。

石油公司之所以能够在剧烈的竞争中脱颖而出，成为行业的龙头，与合伙人之间的团结协作，互慰互勉分不开的。而查尔斯先生正是这个方面的代表人物。

我认为既然我们是一家公司的合伙人，我们就是一家子，应该互相尊重，互相帮助，互相体谅，互相协作，这也要求我们不能为了一己私利损害集体的利益。因此我在一次股东大会上说："请各位发表讲话时把'我'变成'我们'，因为我们是一个大家庭，拥有共同的利益。也只有这样才能增强每个人的归属感，让自己全力以赴，为公司不断发展和壮大做出贡献。"当我把这话说完第一个做出响应的就是查尔斯先生，他说："我们明白了，事实上，我们应该这样做，无分彼此，共同扶持。"

为此我感到很高兴，因为"我们"就是说在这个集体没有个人利益只有集体利益，"我们"也比"我"更有力量，只有摒弃了"我"，我们才能站在更远的地方考虑问题，不会因为眼前的小惠小利而互相争吵。这也是我的精明之处，因为我知道一个企业有"人"才能使这个企业充满活力，不断地成长壮大。如果我只关注竞争对手或者只顾企业的盈利，那么这个企业或许会陷入困境，因为我们连内部矛盾都没有解决好，又怎么去挑战外部矛盾，这是子虚乌有的事情。

我和查尔斯先生还有很多共同的信念，如"珍惜时间和金钱"。珍惜时间和金钱在这个世上没有多少人能够做得到。每天漫无目的地生活，浪费时间和随意挥霍金钱的人比比皆是。他们不知道时间的用途，也以为自己有很多时间。但造物主很公平，每个人的时间都是差不多，为什么有的人能够功成名就，有的人却无所事事。这都与时间的运用和计划有关。一旦我们确立了目标，就要学会合理安排时间去做一些与目标有关的事情，而且要严格要求自己不能偏离轨道，让自己的精力全情投入在这个目标的追逐中，那么假以时日，成功就会来敲门。

所以我们一定要学会珍惜时间，珍惜了时间就等于珍惜了金钱，它是天赐的资产，只要我们的生命依旧存在，还是有资本为自己的目标努力奋斗，生命的意义也莫过于此。

我们要把"珍惜时间和金钱"作为自己的座右铭，时刻地鞭策着自己的行为，并把这句话融入自己的血液之中，让自己的灵魂不断地被这句话侵染，变成不可磨灭的智慧。

幸福的生活是每个人的愿望，要实现这个愿望其实一点也不难。我们可以认真地规划自己的人生，然后按部就班地去执行计划，这也离不开时间的规划。一个目标的完成时间只有被限制了我们才有行动的动力，才会乐此不疲地运动、思考，最后完成自己的目标。当我们能够合理地安排时间去完成任务时，我们就会很少为自己找借口，争分夺秒地实施自己的计划，让自己赢在时间的前面，不断地为自己创造更多的资本，完成更多的人生规划。一个人如果真这样做了，想不发光是很困难的。

我们的每一个计划，每一次行动，每一次实践都是组成光辉人生的一个重要阶梯，因此必须谨小慎微地进行。当我们不能把握结果时，就不要冲动地走出一步，必须在确保结果的同时，才走出第一步。否则只会碌碌无为，浪费时间，浪费金钱。世上无难事，只怕有心人，只要我们学会调整轨道，控制结果，那么成功就会离我们越来越近，并让我们不断地收获想要的果实，而且是甜美的果实。

能够让钱成为我们奴仆的人是不会贫穷的，这是查尔斯先生的赚钱箴言。他从来都不会吝啬与别人分享自己的赚钱秘诀，每次都会让人充满激情，精神饱满，恨不得马上去实施他所说的精华论点。他还总结了有两种人注定要成为穷人：

第一种是挥霍无度的人。他们是金钱的奴隶，整天以为及时行乐才是对金钱的尊重。殊不知在这种挥霍无度的使用中将让自己变得一贫如洗，甚至背上巨大的债务，整天为了躲避债务而东奔西跑，失信于别人，让自己神憎鬼厌。对于这样的人，我无言以对，他们不断地透支金钱等于不断地侵蚀自己的身体和灵魂，这样的人是没有责任感的人，是自私自利的人。

第二种是喜欢储蓄的人。他们很珍惜金钱，但却是名副其实的守财奴，从来不会利用金钱去换取自己的需要，让自己饱受守护金钱的精神折磨。这是一种病态的行为，更是一种把自己推入金钱深渊的魔鬼。

而能赚钱的人就是像我们那些合伙人那样，只要确定项目能够赚取金钱，而且风险在可以接受的范围内，他们就会毫不犹豫地把金钱投入项目之中，并让自己的金钱像滚雪球一样越滚越大。这种人注定是富人，因为他们深刻地知道只有把金钱变成自己的奴仆才能让自己衣食无忧，让自己拥有的每一分钱永不停歇地为自己提供服务。

这就是查尔斯先生的智慧，或许还有很多我不知道的智慧，但已经不能再和他探讨了。不过也没有什么关系，因为像"珍惜时间和金钱"这些信条永远都会存活在我的脑海里，他的灵魂和思想并没有离我们而去，为此，深感安慰。

约翰，珍惜时间和金钱，不随意地浪费它们，否则就是在浪费自己的生命。

爱你的爸爸

小贴士：

珍惜时间和金钱要求我们要学会规划自己的时间和合理安排金钱的使用。时间是人生的重要资本财富，它是有限的，怎样才能让自己在有限的时间里实现更多的人生价值是我们需要考虑的事情。作为家长，让孩子们学会珍惜时间、规划时间显得尤为重要。具体请做到以下几点：

1.让孩子们合理安排作息时间，并监督他们要严格遵守；

2.发现孩子们有拖拉的现象，要及时纠正，让他们知道时间是一去不复返的；

3.学会根据孩子们想要追求的结果引导他们作出计划，然后按照计划行事，并告诫他们只有按计划行事才能得到想要的东西；

4.对于孩子们异想天开的事情不要纵容，要让他们主动思考分析为什么不可能，然后主动放弃诉求。

作为孩子应该要做到以下几点：

1.学会珍惜时间，安排时间，然后严格按照计划执行任务；

2.善于总结为什么自己不能在规定时间内完成任务，然后改善自己的行为和方法；

3.制定的每一项计划都一定要有可实施性，否则要果断放弃；

4.必要时学会与人合作，缩短计划的时间，达到共赢。

第13课 / 有野心并不完全是件坏事
——洛克菲勒写给孩子的第11封信

> 课前引：每个人都有野心，只是碍于社会的道德才让我们把这些行为有所收敛，但野心不是一件坏事，如果能够正确对待，它将会是推动我们勇往直前的动力。

心爱的约翰：

我是一个有野心的人，因此对于那些说我贪心的人我从来是不会加以理会的，你也不必为我解析些什么。

洛克菲勒这个名字相信已经享誉全球，它是财富的象征，是每个人都想追逐的光环。但很可惜，它只专属于我，没有人能够轻易地从我身上抢走。

在我获得财富的初期，很多报纸都说我是一个有野心而且又贪心的人，对于这种直率的表达方式我很赞同，或许你会说他们不过是在讽刺我，但这又怎么样，难道我要为这些失实的报道伤心几天吗？我的自尊心不允许我这样做，而且我也没有时间这样做。

　　人性有一个弱点就是善妒，他们只要看到别人过得比他好，他就会对别人加以抨击，甚至不断地在否定别人的劳动成果，认为别人的成功不过是天赐的运气。但我想说有谁的运气是能够延续一生的。所有的言语不过是那些小人的所为，他们从来都不会花时间去研究怎样才能让自己赚更多的钱，怎样才能实现自己的人生价值。他们是符合"传统道德的代表人物"，因为他们从来都不贪心，不贪恋财富，不贪恋成功。

　　但这些是他们的真面目吗？相信不是，人心隔肚皮，因此我们很难猜度别人的心思和思想，而且我也没有这方面的兴趣，毕竟我知道即使不能把他们的心掏出来看，我也知道他们是和我一样喜欢赚钱，只是我比他们行动得快，比他们有智慧，比他们有眼光，才招致这些人对我加以抨击。我很感谢他们的存在，因为如果没有他们的这些行为我又怎么知道自己原来是如此成功呢。

　　有的人可能会说我敏感，明明是在恭维你，怎么你会认为是因为嫉妒让我产生这种行为呢？如果真这样我也很感谢你，我对人性的研究不是很上心，才疏学浅，所以一定会有说错的地方，但我也不想为自己辩解些什么，毕竟我只是一个普通人，如果有多余的精力不如深入研究经商之道还是比较好。毕竟我对这方面很有兴趣，正苦恼怎样才能让自己更有野心、更贪心。

　　可以说我为野心和贪心疯狂。相信只要这个世界还存在比较和竞争，这两个东西都不会在人类社会中消失。我比别人更清楚这一点，因此我不断地追逐它们，从不让它们从我的头脑里离去。或许别人会说我没有一点廉耻之心，总是把这些东西说出来。但我却认为这些与社会道德无关，我们仅仅是尊重自己的本性罢了，而且从来也没有损害别人的利益或给别人带来危害。既然是对得住良心的事情，我为什么要感到内疚。

　　想起来有一个老师曾经对我进行过一种教育，他说贪心没有什么不好，我们要学会贪心，学会让贪心成为我们前进的动力。对于他这一堂课的理论有很多同学不是很同意，但我认为没有什么错，事实本来就是这样。我喜欢遇到像这位老师一样能够解除思想和道德禁锢的智者，我希望能够与这样的人相遇，他们总能激发我的灵感，让我能为别人不为的事。别人不为的事就是一种机遇，而且竞争很少，成功的概率很大，这又何乐而不为。人们总是被风俗、信仰、道德、文化、价值这些东西左右自己的行为，对此我觉得很愚笨，因为一个有智慧的人是很清楚自己想要什么，怎样做才能得到，从来很少考虑别人的眼光，因为它们一点用处也没有。

　　阿奇博尔德先生曾经说我是一匹只要闻到铜臭味就十分勇猛的马，对此我不予否认，因为我清楚地知道自己确实是这样。人类社会是一个竞争的社会，资源很有限，如果你不能及时把握，据为己有，那么它很快就会落入别人的手中，成为别人的囊中物。因此我们想要获得成功，想要获得财富，想要实现自己的价值，那么我们必须有野心，只有野心才能把我们引领到想去的地方。

　　野心就是我们想要得到什么，什么是我们热切期望的，而且越多越好，从来都不会感到满足。就像一个人他做了市长就会想做省长，做了省长就想做总理。又像那些明星，当他们走上二线位置就会向一线进发，做了一线就想自己全国最红，甚至走向世界。这些欲望存在于很多人的脑海里。他们总是不知疲倦地追逐名利、金钱，从来都不会感到满足，只是有时碍于道德和风俗的禁锢才刻意地把这些情感隐藏起来。这种人的心灵很脆弱，经不起别人的目光和嘲弄。

　　我认为大胆承认自己有野心和贪心是对自己情感的肯定，也只有这样，我们才能冲开思想的禁锢大步向前，获得自己想要的东西。我从一个月薪20美元的记账员成为石油业的巨头就是野心使然。这一点我从来都不予否认，毕竟野心是驱使我前进的动力，这种动力使我实现了一个奇迹，而且是别人难以企及的奇迹。

其实我的野心不过是我人生的目标，因此有人劝说我不要用"野心"这个丑陋的词来形容自己的人生追求，大可用目标来说，这样就不会引起别人的误解，甚至对我进行抨击和嘲笑。但我不认为这有什么错，我不过是把自己真实的情感说出来。

在我创业的初期，每项业务都事必躬亲，无论是记账、发货、运输、炼油车间管理我都了如指掌。每天睡觉前都会把当日遇到的问题进行总结，并思考怎样才能节省成本创造更高的效益等。因此，经过一段时间的努力我把石油变成了一捆捆钞票，并把这些钞票再次变为资产，扩大企业的规模，增强企业的实力，石油王国就是这样成长为巨人的。

约翰，我的儿子，弄清楚自己想要的是什么，然后思考怎样才能获得，怎样才能满足自己的野心吧。只有这样我们才能实现自己的人生价值，野心没有什么不好，这证明我们是一个正常人，我们有自己的目标和追求。当我们拥有野心，就会竭尽所能地去追逐目标，成为自己想要成为的那个人，获得自己想要获得的东西。野心是人的一种精神理念，它驱使我们发挥潜力，不断在追逐中实现自己的价值，充实自己的人生。

很多人都问我致富的秘诀，我很少把这个主因告诉他们，因为"野心"这个解释很少会被人们接受。但无可否认它带给我的力量，它让我的思想膨胀，不断地迸发能量，让我感觉自己是一个无所不能的勇士。

当野心侵蚀了我们的心灵，我们不要感到为难，而应该感谢它能找到你，如果可以要像守护爱人一样守护它，让它知道你珍惜它、爱护它，并视它为知己战友，那么它也会用最美的姿态来回报你，让你取得成功。

约翰，我曾经说过你的财力越大为社会所作的贡献就会越大。而财力的获得就离不开野心的帮忙，只有我们心中充满欲望，才能驱使我们不断地奋斗和前进，并让自己的智慧取得质的飞跃。野心不是一种罪恶，我们必须要理智对待，不要因为一时的误解就把它拒之门外，最后你只会在默默无闻中度过此生。一个人如果仅能解决自己的温饱，又怎么有能力参与国家的慈善事业，如果你想让自己的精神富足，请让自己每天都被野心包围。

现在我已经有能力支持国家的慈善事业，无论在医学、公共设施、教育等方面都有我们洛克菲勒家族的支助。这也是我对社会的回馈。但即使我做了这么多的贡献，我仍然被别人认为我不过是为了让自己的良心好过，甚至猜度我不知道利用慈善事业去获取些什么。面对这样的言语我只会一笑置之，我只忠于我自己，从来不会因为别人的话语而影响我的判断和行为。我只为自己而活，不为别人。如果让我顾及别人的感受而生活，那么我宁愿自己不曾到来这个世界。

我的财富是用自己的汗水得来的，也可能是上天知道我心慈仁厚才让我获得这些财富。无论怎样，这些财富都是洁白无瑕，没有任何污点。别人要说什么就说什么吧，我没有能力阻止，也没有权利阻止。我只过自己喜欢过的生活。

因此，约翰，不必为此苦恼，你只需继续发现自己的野心，并不停地追逐它，你的人生你做主。

爱你的爸爸

小贴士：

有野心是必须的，野心能让我们完成心中想干之事，获得心中的欲望，取得心中所爱。因此作为家长要学会教导孩子大胆说出自己想干的事情、想得到的东西，具体做法如下：

1.教导孩子有野心不是坏事,把想要得到和完成的事写在纸上,并贴在每天能看到的地方,激励他们通过努力获得自己想要的东西;

2.教导孩子不要太在乎别人的眼光,只专注于自己的目标,并不断地为目标奋斗;

3.要学会培养他们的"野心",让他们明白命运掌握在自己的手中,没有人能够左右;

4.让孩子们知道自己在进行的事情对目标的完成有什么帮助,激发他们的行动力。

作为孩子要做到以下几点:

1.我们是生命的个体,自己决定自己的事情,没必要受别人影响;

2.当发现自己想要什么时,好好思考怎样做才能获得,并付诸实践;

3.即使得不到自己想要的东西也要学会总结经验,弄清楚没有得到的原因所在,不找任何借口;

4.学会忠于自己,但忠于自己不等同固执。

第14课 / 没有奋斗竞争的决心，就只有做失败者的资格
——洛克菲勒写给孩子的第12封信

> 课前引：生活总是充满挑战，但如果没有奋斗竞争的决心，就只有做失败者的资格。因此，我们必须坚定自己竞争的意志，时刻为竞争准备着，最后抢在对手之前达到目的。

心爱的约翰：

商场如战场，我们要时刻保持竞争的决心，因为无论何时，竞争都激烈存在着，一旦稍有不慎，自己手上甜美的糕点就会落入别人的手中。我不喜欢钱，但我喜欢赚钱。因此我无时无刻不在寻找赚钱的机会，希望自己能在商场中永远是胜利者。

但每个人都有恻隐之心，总是被所谓的道德充斥着我们的头脑，如果发现事情对别人十分不利，我们就会犹豫不定，甚至果断放弃。但这样的人很难在竞争中取胜，只有担任失败者这一角色。

在商场中没有同情怜悯可言的，不是你死就是我亡。所以我们必须坚定自己的立场，抢在对手之前达到目标。这样我们才能稳固自己的地位，赢得尊

重，获得想要的成功。否则，你只能沦为失败者，成为别人的笑柄。

但确切地说，我不喜欢竞争，但喜欢努力竞争，因为竞争能充实我的生活，让我时刻充满斗志，情绪亢奋。我很享受这种感觉，这种感觉的存在让我感受到自己的生命力，让我知道自己是一个大活人。我曾经因为自己的同情心引来了一场差点让我在商场中覆灭的战斗，这场战斗的对手是波茨先生。

波茨先生是宾州铁路公司下属子公司帝国运输公司的总裁，他为人十分傲慢和好胜，只要是他窥视的猎物，就会不惜付出一切代价去获取，让它们都成为自己的囊中物。

波茨先生之所以成为我的竞争对手是他用锐利的眼光发现了我所犯的一个错误，这个错误源于我的同情心。当时在宾州西北部发现了一个新油田，只要我在那里建设一个输油管网络，把这个片区的油田都连接起来的话我就能轻而易举地把这个油田据为己有。但我的这个举动会让曾经帮助过我的铁路公司蒙受损失，这有点于理不合，因此我放弃了这个计划。

但让我没想到的是宾州铁路公司利用了我的同情心，想趁这个机会霸占这块油田，并计划取代我在石油业的地位。为此他们委派这个傲慢，但喜欢竞争的波茨先生完成这个任务。

不可否认，他们的初步计划的确威胁到我的地位和业务，他们利用自己的铁路优势，把两条最大的输油管驳接在自己的铁路，然后解决了运输上的成本，也把更多的石油运输业务据为己有，不断地扩张着自己的业务。

我也是一个好胜之人，喜欢竞争，我不会愚蠢到看着他们这种行为仍然坐视不管，我能有今日的地位也证明我不是一个随便接受打压的人。既然他们不知好歹地惹怒我，我当然也要给予反击。

我立即任命精明能干的奥戴先生组建一个运输公司与波茨先生统领的帝国运输公司抗衡，然后保护了自己石油业务，不出一年的时间我占据了宾州石油的四成业务。这也很好地压制了帝国公司的扩张。但真正的竞争现在才以迅猛的势头开始。

我们要在竞争中获胜，客观环境也很重要，一旦发现条件不能满足我们取胜的需要，我们就要学会主动地创造出来。

这样的竞争战局持续了两年，直至在宾州布拉德福发现一块新油田，我和波茨先生又再次进行角逐。当发现新油田的消息一传出，奥戴先生带着自己的团队把这个油田的运输业务都包揽了下来。但这个油田的人好像不知道疲倦一样，每天马不停蹄地进行开采，并且大大地超过我们铺设管道的速度。

为避免开采出来的石油都变质报废，我建议他们控制一下产量，保证石油的品质，谁知道他们不屑一顾，只想尽快把石油都开采出来换成一沓沓厚厚的金钱。

波茨先生又再次发现了机会，他用最快的速度收购了我们在纽约、费城、匹兹堡竞争对手的炼油厂，然后以迅猛的势头把管道铺向布拉德福的石油开采场。希望能把布拉德福石油开采场的石油都运送到自己的炼油厂，不断增长自己在石油业的份额。

面对波茨先生的魄力和威胁，我丝毫不感到畏惧，我感谢这个强劲的竞争对手的存在，他让我明白在商场的博弈中是没有同情心的，我决定把他从石油行业中踢出去。

刚开始我运用了比较人性化的手段，就是拜访宾州铁路公司的总裁斯科特先生，希望他能遏制波茨先生非理性的行动。谁知道斯科特先生竟然认为我在阻碍他公司的发展壮大，甚至认为我很自私，容不得别人动摇自己在石油业的地位。面对傲慢和自以为是的斯科特先生的言语，我知道自己不能再仁慈下去了，我只能坚定自己竞争的决心，以迅猛的速度把这个不知好歹的竞争对手打垮。

首先，我终止了一切与宾州铁路公司的业务往来，把这些业务交给我比较信任的两家铁路公司，并和他们协商降低运输成本，让他们在运输行业中与宾州铁路公司进行较量，削弱宾州铁路公司的力量；第二，我把在匹兹堡依赖宾州铁路公司运输的炼油厂关闭，第二，属于我方的炼油厂都以比市价低很多的价格出售石油。这三个举措让铁路运输业的巨头宾州铁路公司元气大伤，其属下的炼油厂也不堪成本的压力，在垂死挣扎。

但斯科特先生和波茨先生都没有承认失败的念头，还是抱着自己能打败我的心态，不惜一切代价与我抗衡，可以说他们已经失去了理性。最后，他们甚至以低于成本的价格出售石油，入不敷出，最后只能削减炼油成本，降低工人工资。但这些不人性化的举动为他们带来了灭顶之灾，几百辆油罐车和一百多辆机车被那些愤怒的工人销毁，最后他们不得不紧急向银行贷款，但已经于事无补。因为公司处于严重亏损状态，股东们没有分红，股票市价也一落千丈，像乞丐一样。

面对这样的状况还没有磨灭波茨先生的斗志，他想方设法想进行反击，我很敬佩他的精神，不屈不挠，无论身处的环境多么恶劣都不轻言放弃，竭尽所能地抗争下去。但固执的斯科特先生在这个时候却十分理智，竟然低头道歉，希望和我言和，重新开始合作，并保证停止炼油业务，专心地发展自己的运输业务。

这场战役就这样结束了，但真是很惊心动魄，也再次证明了我的能力，让我在石油行业的地位屹立不倒。为此，我的精神感到很富足。波茨先生在几年后似乎明白自己没必要做摩西，最后放低姿态和我合作，成为我一个子公司的勤奋精明董事。这也说明我们要识时务，不要因为所谓的自尊一意孤行，否则只会让自己一败涂地。

约翰，作为一个商人一定要喜欢竞争，但竞争一定要建立在道德的基础上，不要为了一时的胜利不择手段。当我们运用正当的手法进行竞争，那么就能收获甜美的果实，让自己精神感到富足和安宁。

爱你的爸爸

🔘 **小 贴 士**：

没有奋斗竞争的决心，就只有做失败者的资格。喜欢竞争，喜欢努力竞争是一个人生命力的体现。在生活中，我们会面对各种各样的挑战，能否保持健康的心态面对挑战，进行竞争也是人生重要的课题。作为家长，我们要学会激起孩子的斗志，让他们在竞争中体现自己的价值，充实自己的人生。具体请做到以下几点：

1.鼓励孩子们勇于挑战，并运用正当的手段获得胜利；

2.竞争不等于比较，作为家长一定要向孩子们灌输正能量，并理智分析竞争的手段是否可取；

3.当孩子比较好胜时，要适当地加以引导，利用孩子的天性获得能力的进步；

4.及时地辅助孩子进行总结，分析他们的行为，帮助他们了解并理解什么是手段的正确性。

作为孩子应该做到以下几点：

1.要认识到仁慈不是一种错误行为，但战场无父子，该竞争的时候还是要努力竞争；

2.在进行竞争之前也要认真思考分析手段是否符合道德，否则即使胜利了也没什么可喜的；

3.要学会用正确的心态对待竞争，竞争不是为了比较，而是为了体现自己的能力；

4.善于总结竞争经验，让自己在竞争中成长壮大。

第15课 / 最大的成功资本是我们自己
——洛克菲勒写给孩子的第17封信

> 课前引：每个人都渴望成功，渴望获取更多的财富，但却顾忌自己没有资本，认为没有资本就不能开创自己的事业，但其实不然，我们自己就是最大的资本，只要你相信自己拥有成功的能力、获得财富的能力，你就能获得成功、获得财富。

心爱的约翰：

前几天收到一个计划让自己成为富人的人的信，他很苦恼，因为自己没有资本，总认为这就是获取成功的最大缺陷。在没有资本的情况下如何才能获得更多的财富相信是每个想创业的人最苦恼的问题，但这个问题的答案相信谁也回答不了，包括我。

面对这个年轻人的诚恳诉说，我认为自己即使没有答案也应该回信给他，毕竟每个人都有自己苦恼的问题，或者正被这些问题弄得苦不堪言。这时就需要一个善于聆听和回应诉求的人，我很乐意做这个人。

我们其实并不缺乏资本，最大的资本就是我们自己，我们必须要清楚地认识到这一点，并把这个常识作为我们自己的信念，只要有这个信念我们就像获得了神的帮助一样，拥有巨大无穷的勇气和力量，不断地鞭策自己往前冲。

我知道在现实中有很多人因为自己想创业却缺乏资金或者资金有限，同时也害怕自己把仅有的资金投入事业后却取不到自己想要的成果，整天犹豫不决，思前虑后。但我们的时间很有限，如果整天沉浸在踌躇不前的状态中，不但不能得到自己想要的结果，就连眼前的事务都会因为不专注而做得一塌糊涂。所以，一定要坚定自己的信念，相信自己就是获取成功、获取财富的重要资本，是第一资本。这样，我们才有可能获得自己想要的那份成功和财富。

另外，要获得财富和成功必须从身边的事务着手，因为金子很多时候都是隐藏在我们的周围，不要好高骛远，否则你将看不到那些闪闪发光的钻石。说到钻石让我想起了一个阿拉伯人的故事，这个故事的寓意很深刻，相信很多人听了都会有所启发。下面我们就来说一说这个故事。

有一个住在离印度河不远的地方的波斯人，他的名字叫阿尔·哈菲德。他的生活很富足，拥有一个大的庄园，也有足够一生使用的财富，为此他也觉得很满足，因此，每天都无忧无虑地生活。但这种生活被一个在他家寄宿的僧人的一番话打破了。这个僧人告诉阿尔·哈菲德如果他在拥有现时的财富基础上再获得满手钻石，那么他就能把整个国家的土地都买下来成为自己的产业，并能让自己的儿子登上这个国家的国王宝座。

阿尔·哈菲德听了僧人这句话后觉得真有其事，为什么不大胆一搏，或许真能够如愿。于是天还没亮他就来到僧人的房间把僧人叫醒，并兴奋地说："我想拥有满手钻石，在什么地方能够找到？"

僧人说："你只要找到山里的一条流有白沙的河流就能找到这些钻石。"

"真有钻石在这样的河流之中吗？"

"有，当然有，而且是你想要多少就有多少。"僧人自信满满地说。

阿尔·哈菲德听了僧人的话就更坚定了决心，于是把名下的庄园卖了，然后以迅猛的速度把债务收回，然后委托邻居帮忙看护自己的屋子就出发去寻找钻石了。

寻找钻石的路一点也不好走，阿尔·哈菲德的时间都在攀山涉水中度过，日复一日，不知疲倦地攀爬所有山丘，但却没有发现一条流有白沙的河流，一次次的失望让他感到很绝望，而且自己的财富也用得差不多了，如此艰难的日子他实在不想再过下去，甚至认为自己被那个僧人欺骗了。最后带着疲惫的身体跳下再次让他失望的那座山的悬崖。一个年轻的生命就在追逐所谓的财富中消失了。

几年后，在阳光明媚的日子里，阿尔·哈菲德的财产继承人牵着骆驼在花园的小河喝水，那骆驼看到闪闪发光的石子很好奇，然后把这颗石子含在嘴里。这颗石子在阳光的照耀下十分光亮，让继承人一下子就注意到了，并从骆驼的嘴里拿出来仔细观看，觉得挺漂亮的，进到屋子就随意地把它放在火炉旁边了。

过了几天，那个僧人又到阿尔·哈菲德的房子借宿，突然被那颗在火光照耀下闪闪发光的石子吸引，于是走近石子认真观看，兴奋地问继承人："阿尔·哈菲德做到了吗？真的找到了钻石吗？他现在在哪里？"继承人说："这块小石子是钻石吗？""当然，当然是钻石了，我认识钻石，也会鉴别钻石。"继承人听后很兴奋，甚至以为自己在做梦，财富之门就这样轻而易举地为自己打开，实在是有点不可思议。

然后他带着僧人到花园的小河，随手一抓马上能抓到几粒闪闪发光的石子，原来这些就是钻石，钻石一直在阿尔·哈菲德的周围，这也是人们发现印度戈尔康达钻石矿的地方。这个钻石矿的产量远远高于南非的金百利。英国国王王冠上的巨大钻石也是在这个钻石矿开采的，镶嵌在俄皇王冠的世界第一钻石也是这个钻石矿的出品。

约翰，这就是那个阿拉伯人跟我说的故事，你有没有为阿尔·哈菲德感到惋惜，原来能买走整个国家土地的财富就在自己的花园。但他却懵然不知，不惜付出沉重的代价到离自己家乡很远的地方去寻找钻石矿，不但身体饱受折磨，甚至连精神也受到了非人的损害。

所以，财富就在我们的身边，我们要学会发现财富、认识财富、打造财富，并把财富变成自己的囊中物。这也需要我们相信自己才是走向财富之门的第一资本，只有能够认识到这一点的人，他们才能握着自己身边的财富种子，并不断地为这颗种子浇水施肥，让它不断地茁壮成长，成为守护自己的参天大树，甚至结出甜美的果实。

一个人如果能够做到信任自己，那么他就拥有无穷的力量，无论面对怎样的挑战，怎样的困境，他们很容易就会找到解决问题的办法，并巧妙地运用这些问题为自己创造另一个契机。

约翰，相信自己的能力，相信自己已握着的种子能成长壮大，相信财富就在我们身边，只有做到这样，我们才能获得自己想要的成功、想要的财富。

爱你的爸爸

小贴士：

相信自己是成功的最大资本是获取成功的前提条件，我们只有相信自己能取得成功，相信自己能获得财富，那样才能创造成功，获取财富。自己都不相信自己拥有这样的能力、这样的资本，那么所谓的追求成功，获得财富都不过是空谈。因此作为家长，我们要让孩子们明白这个道理，让他们增强自信，努力奋斗。具体应做到以下几点：

1.对孩子进行引导，让他们明白自己才是获得成功的最大资本；

2.引导孩子学会关注身边的小事情，并培养他们主动接受事务的训练；

3.当孩子认为身边的事情微不足道时，大可以让他们尝试超出他们能力的事务，当事件不能收尾时，再对他们进行教育，让他们印象深刻。

作为孩子应该做到以下几点：

1.善于从自己的身边寻找事务，然后从最细小的事情开始做起，让自己不断增强自信；

2.做超出能力范围的事情时，要相信自己有这方面的能力，并相信自己能把事情处理好，不断地调整修正，直至把任务顺利完成；

3.学会利用自身的资源，发现它们发光的地方，那么就会像发现钻石一样兴奋。

第16课 / 敢冒风险的人才能获得成功
——洛克菲勒写给孩子的第20封信

> 课前引：风险越大收益越大，我们要敢于冒风险，成功之门才会为我们打开，如果一个人总是谨小慎微，那么他的人生价值只能停留在一个可估量的高度，但大胆地和风险进行博弈，那么我们的人生价值则可能在一个常人不能企及的高度。

心爱的约翰：

刚才看报纸的时候被一则报道的标题吸引："探索能为我们发现机遇，赌博能让我们利用机遇。"这句话很有道理，如果把它应用到我的职业生涯也很合适。

这个世界总是充满机遇，能否发现机遇，并抓住机遇这些都很考究人们的能力和眼光。墨守成规，不敢冒险的人很容易就会和机遇擦肩而过。人生就像一场赌博，没有绝对的胜利和绝对的失败，但如果要成功就要敢于冒风险，风险越大，收益越大，这是恒久不变的定律。

约翰，在进入石油行业以前我是一名普通的农产品经销商，那时农产品也很赚钱，如果我当时坚守在这个行业发展相信也会取得不菲的成绩。但人生总是充满机遇，让我的人生发生转折有一个很关键的人物，他就是安德鲁斯先生，他总能用独到的眼光看到别人看不到的机会。他跟我分析了现时石油行业的现状，并向我展示了其发展的前景。对于安德鲁斯提供的这个项目信息我听后很兴奋，如果顺利进入这个行业，我将会赚到比现在要多很多的钱，而且这个行业的前景可以说是难以估量的。但我没有任何这方面的经验，如果决定踏入，这将会是一场赌博，最后野心战胜了犹豫的魔鬼，我决定加入这场难以预料结果的博弈之中。

为此我投入4000美元作为石油公司的启动资本，这个数目在当时来说是很大的一笔钱，如果我没有成功，我将变成一个穷光蛋。但很幸运，不到一年的时间我就利用这笔资本赚到了比投资农产品多很多的钱，面对这样的收益更加坚定了我的决心，我打算让自己的石油公司发展壮大，甚至计划要成为这个行业的巨头。

我每天都为自己规划的发展蓝图奋斗，可以说是奋不顾身，因此容不得任何人阻碍我的发展计划，一旦有人和我的目标背道而驰，我就会毫不留情地把他踢出局。克拉克先生是石油公司的出资人，而且所占的份额也不少，他是一个容易满足的人，希望公司按现时的规模继续经营，这样的话他就能定期收到分红，冒风险对于他这样的人来说无异于从他身上割一块肉。

面对这个可以称为"胆小鬼"的合伙人，我决定和他摊牌，要么继续支持我的计划和我合作下去，要么卖出手上的股份，离开这个大家庭。如我所料，他选择卖出股份，而且采用拍卖的方式卖出。

由于克拉克先生的股份比较多，如果我要把所有的股份都承接过来相信不是一件易事。但如果他不卖掉股份，我将实施不了自己的计划。停滞不前，安于现状不是我的本性，于是我决定冒这个险，不论采用何种方式都要把他的股份买过来。

于是我向银行追加贷款，并把自己值钱的资产都抵押给银行。另外我把自己的计划向安德鲁斯先生说明，并希望他能够帮助我收购成功，安德鲁斯先生没有让我失望，答应帮助我完成计划。

回想起拍卖当天的情景我到现时也感到惊心动魄和心有余悸，因为拍卖的价钱由500美元升至5万美元，这远远高于市场的估价。但即使到了5万美元这个高价位，它还没有停止上升的步伐，最后追加到7万美元。面对这样的高价我真有点措手不及，甚至冒出冷汗，但理智告诉我一定要坚持下去，否则只会让自己的发展计划泡汤。最后我以7.2万美元成功竞得这些股份，打败了那个顽劣的合伙人克拉克先生。

虽然我为自己的发展计划付出了沉重的代价，但这一切都是值得的，因为我拥有公司的话语权，一切事务都按我的方式方法进行，最后在我21岁的时候，我成为克利夫兰最大的炼油商，并为我以后成为美国的石油霸主打下良好的基础。

约翰，要敢于冒风险才能获得你想要的成功。我们不要被所谓的安全意识禁锢自己的思想，要勇于承担风险，并谨慎地实施项目，让自己在风险中获得想要的效益。

爱你的爸爸

小贴士：

敢冒风险的人才能获得成功，这句话一点也不假，试问不用冒风险就能取得成功的事情有多少，相信是零。因此我们要培养自己的风险意识，并学会规避风险，这样我们才能创造属于自己的那份幸运，让自己的人生变得充实。作为家长我们要做到以下几点：

1.培养孩子的风险意识，引导他们分析风险的大小，然后把主导权交给他们，让他们自己作决定；

2.面对孩子们做一些超出能力范围的事务，要保持镇定，静观其变，不要过分保护孩子；

3.如果得出的结果不符合你的标准，也要学会控制自己的情绪，不随便责难孩子。平心静气地和他们分析原因。

作为孩子应该要做到以下几点：

1.大胆尝试新事物，不要总被条条框框禁锢自己的思维，做自己想做的事情；

2.学会评估事物的风险，不能盲目地执行计划；

3.即使失败了也不用灰心丧气，毕竟计划实施前已知道结果无非是两个——成功或失败，既然这样不如好好总结经验，找出原因，继续奋进；

4.明白冒险是对自己能力的肯定，没有什么不对的这个道理。让自己不再安于现状中迷失方向。

篇后语

石油大王洛克菲勒先生通过用信件的形式为其后代留下宝贵的精神财富。作为家长和孩子如果认真阅读品味这 16 个课题，就会发现洛克菲勒先生很注重对人性的研究。

我们人类总是存在各种各样的本性，或好或坏，它们时刻影响着我们的行为和思想，是导致我们成功或失败的一个很重要的主观因素。

每件事物都有两面性——积极或消极，这些都会影响我们的心态，甚至影响我们对事物的判断。就像第 1 课——行动决定命运，相信这个课题对于普通人来说觉得是一个谬论，很多人过着贫苦的日子总是觉得上天对自己很不公，没有能够提供优厚条件的父母，没有聪明的头脑，没有良好的出身，这些都成为他们自怨自艾的借口。这些人性相信不仅存在于孩子的脑海里，也存在于家长的头脑里，有时孩子之所以有这样的想法，或许就是家长们在日常生活中无意灌输给孩子的错误观念。因此希望家长和孩子通过这篇的课题能够认清自己，关注自己，从自己出发改变自己的行为，只有这样，我们才能作出正确的判断，保持乐观向上的心态。

另外，洛克菲勒先生还给我们家长传递了一些拥有正能量的教育方式，例如第 10 课——领导力的头号敌人是责难。作为家长，我们应该让孩子主动地接触事物，自主地进行行动，不轻易插手他们的事务，让他们发挥自己的主观能动性和创造性，把事情独立完成。或许有的家长总是会觉得他们年纪小，不是很放心。即使有这样的想法也要克制，因为孩子们的能力比你想象的要高很多，如果你不能摆正自己的心态，那么你的孩子将永远依赖你，心智永远都会停留在被保护阶段。还有，如果孩子们不能顺利地把事务完成也不要急于责难孩子，否则就会让孩子觉得自己的能力被否定，从而产生消极和抵触的情绪，这也不利于孩子的成长。

认真地阅读这个篇章吧，相信你会感到很有亲切感，因为这个篇章里面的很多课题都客观存在于我们的生活中，只要能够理解课题的主题，那么将有利于家长和孩子以更积极的姿态对待对方、尊重对方、相信对方、理解对方。

第二篇

摩根写给孩子的信

第1课 / 文明是有责任感的人创造的
——摩根写给孩子的第2封信

> 课前引：我们要让自己成为被需要的人，这要求我们具有勇往直前和责任感这两种特质，具有这两种特质的人的自律性非常高，从来都很清楚自己要做什么，怎么做才能达到目标。

我的儿子约翰：

我们学习知识是为了什么，怎么做才能吸收知识的营养，让自己的智慧在营养中不断成长和进步。我想把一本喜欢的书介绍给你——《致加西亚的信》，这本书非常有意义，如果你能细心品读，领会其中的寓意，并把它作为行为的准则，那么无论你做什么事情都能获得成功。

书中有一位具有勇往直前和责任感特质的年轻人，他是决定美西战争能否取得胜利的关键性人物，他的名字叫罗文。

当时联邦政府要把一封重要的信件交给古巴的革命领导者——加西亚，但这封信只能使用人工寄送的方式，因此送信人必须是一个机智勇敢，沉着冷静的人。为此总统很苦恼，因为如果这封信件不能按时顺利送达加西亚，整个战争的战局就会有所逆转。

在这个紧急时刻有人向总统推荐了罗文，并十分肯定罗文一定能够顺利完成任务。于是总统把罗文叫来，并把信件交给他。罗文平静地接过信件，然后用布条把其包好，并小心翼翼地把它放进衣服的侧袋。然后头也不回地走了出去，开始执行自己的任务。

罗文果然是一个勇敢的人，能为自己制造机会潜入古巴，避开了敌人的视线，然后每天马不停蹄地步行赶往加西亚的所在地，最后成功地把信件交给了加西亚，顺利地完成了任务。

约翰，相信不用我多说你也能理会这个故事的寓意，当我们接受任务时，不要说太多的话语，也不要问太多的问题，要学会独立思考，独立地按时按质完成任务，这才是一个有责任感的人。

如果一个人具有责任感，他从来不会为事情找任何借口，并会独立思考，分析如果要完成任务需要什么条件，大概的完成时间，要在哪里才能找到自己想要的信息，这些信息的准确率有多大，该不该冒风险等等。所有这些问题他都能独立论证，并能寻找答案。所以我们一定要学会理解书本给我们带来的知识，并要做到学以致用，这样才能发挥自己的能力和潜能，把任务顺利完成。

在生活中能够独立工作的人少之又少，不能独立工作的人是一个自私自利的人，他从来不知道思考的乐趣，不知道靠自己的能力完成任务是一件多么有意义的事情。但约翰，我相信你不是这样的人，因为你从小就表现出很有勇气和责任感，从来都不会推卸自己的责任，为自己的错误找借口。

但我们的身边却不乏这样的人，如果你不相信大可以做一个实验，这个实验能让你看到人性的弱点，并让你知道谁是一名好员工。你叫来几名员工，让他们为你随意找一份资料，看看他们都有什么反应。在这里我可以猜测到几个，你不妨看看他们的反应是不是真这样：

你找的资料很重要吗？

我在什么地方能够找到这份资料？

你能描述一下这份资料有什么特征吗？

我把资料柜的钥匙给你，你自己找一下行吗？

……

还有很多可以推诿的借口，如果我要一一列举则要浪费很多纸张，为此我很不愿意。但有时看到他们这样的行为，你会不会觉得与其和他们在这里浪费精力，不如自己把这个问题解决要快很多。

惰性、粗心、自以为是等这些负面的行为存在于社会的每个角落，只要我们足够细心就能发现。但这些行为是一种消极的行为，而且严重地影响了企业发展的速度。如果是一位精明的领导者，他是不能容忍这样的"人才"存在，毕竟企业不是一个慈善机构，每个人的薪酬都影响着企业的成本，如果一个人不能完成与其薪酬相对应的工作，那么，相信在不久的将来他也会从这家企业消失。

约翰，在职场没有所谓的义务，如果你不能胜任工作，那么很快就会被别人取而代之，因此我们要学会独立地解决问题、思考问题。每次遇到一个新任务时不要急着向领导讨要信息，应该静下心来仔细分析一下领导需要我们做什么，需要我们提供什么信息，通过怎样的渠道和手段才能找到这些信息，采取什么措施才能把这些信息变得通俗易懂，让领导觉得简单明了。这样，我们的行动指南就会在头脑中形成，并让我们不紧不慢地准时完成领导交派的任务。

如果现在还没有这种能力也不要着急，因为你还年轻，很多事情是需要时间去经历，然后才能让我们的心智不断地成熟，智慧不断地增长。没有任何能力是一蹴而就的，必须按部就班。

另外，我们除了有独立思考的勇气外，还要培养自己的责任感。一个拥有责任感的人，从来都不会惧怕承担责任，并为了肩膀上的那份重量坚定不移地向前走。有责任感的人同时是一个懂得自律的人，他们从来不用别人为自己操心，整天都抱着乐观的精神处世为人。

一个即使没有领导监督都能独立地把工作任务完成的人永远都受雇主们的欢迎，而且这种人被大多数企业需要，因此他们从来都不会失业，文明就是这种拥有勇往直前和责任感特质的人创造的，我们要努力成为这样的人。

爱你的摩根爸爸

小贴士：

每个企业都需要能够独立思考和勇敢果断的人，因为这将会为企业主减少很多不必要的烦恼，并能提高企业的工作效率，减少企业的人工成本。所以作为家长，我们要学会培养孩子拥有勇往直前和责任感的特质，让这些优秀的特质伴随他们的一生，让他们面对人生的考验能够畅通无阻，并成为被别人需要的人，具体做到以下几点：

1.在生活中谨记不随意介入孩子的事务，让他们自主独立完成；

2.培养孩子的自律性首先要做的是让孩子们对所做的事情感兴趣，然后让他们自主地行动起来，久而久之，这就会变成一种好习惯；

3.当孩子们面对任务踌躇不前时，学会与他们沟通，找出问题的所在，然后鼓励他克服障碍，勇敢地把任务完成。

作为孩子应该做到以下几点：

1.要学会大胆接受任务，并要努力克制自己的惰性，相信自己有独立解决问题的能力；

2.当我们开始行动后，自己的能力有点不足时，大可先停下来，然后思考是什么原因导致自己行动速度减弱，然后抓住主要问题，想方设法地排除障碍；

3.善于与信任的人沟通，分析怎样才能培养自己的独立性，并马上实践，让独立思考成为自己的习惯，陪伴自己的一生。

第2课 / 诚信是促使成功的生命力
——摩根写给孩子的第4封信

> 课前引：在面对孩子因为与人商谈失败而苦恼时，摩根爸爸说了一句发人深省的话语——诚信是促使成功的生命力。希望以此来抚慰孩子苦恼的心，并希望他能够保持这样的品格。

我的儿子约翰：

很高兴你能把自己这次的商业洽谈失败经验告诉我，我也能理解你为什么觉得苦恼和愤恨，毕竟你为这次商业洽谈准备了很长时间，但却取不到想要的结果。

约翰，在商场中经常会遇到这些情况，相信不久的将来你会习以为常，能以平静的心态对待这些事情。况且这次不完全是你的错，只是你的对手比较狡猾，而且没有诚信。这种人能够在竞争激烈的商场中占有一席之位实在很奇怪。没有诚信的人即使能够在一次商业合作中取得利益，但不能保证他在下一次商业合作能够取得报酬。诚信是促使成功的生命力，因此，约翰，你具有这样的优点，相信在不久的将来，这个优点能为你树立品牌，商业合作项目将会蜂拥而至。

约翰，以下说的事情没有责备你的意思，只是想和你总结一下这次经验。当我们打算与他人合作时，必须要掌握有关这个人的背景，他的背景包括人生经历、性格特点、行为品德等。当掌握了这些资料，我们就能很好地判断他的行为习惯，而且采取一些有效的措施，想必这会对成功合作大有帮助。因为一个人的行为总是会重复，这些习惯或许连当事人也不知道，但如果是一个有智慧的人绝对能够发现他的这些特质，并合理利用这些特质，攻破他防御的挡板，促成合作。所以凡事多留一个心眼，对事情的处理是大有裨益的。

这次失败是你人生的一个历练，失败不算什么，我们必须学会保持平常的心态对待。但人心险恶，自己要学会对别人有所保留，不要凡事都全盘托出，这样做很危险。有的人很会隐藏自己的心思，当从别人身上套出对自己有利的信息后，就会采取迅速的行动，对你进行打击，最后祸害就会突然而至，这样愚蠢的行为，我们要避免发生，以免使自己遭受不幸。

当一个商业项目结束后不代表你的任务已经完成，我们要思考再做点什么才能让客户感到宾至如归，怎么做才能把他变成自己的长期客户。这时就要让客户认识你，认识你的人品，认识你的言行等，有时商业合作不过是与人的合作，正因为相信你这个人，因此才把自己重要的事情和项目都托付给你。另外，我们还要注重培养团队的整体形象，一个团队如果有优秀的员工，良好的企业文化，优质的团队服务等，这样也会为自己吸引很多合作伙伴，为自己的企业不断发展壮大提供了必要的外部条件。

做生意和经营人生是没有什么区别的，当我们让别人感觉诚实、仁慈、明辨是非，那么很多人就会愿意跟我们做朋友，并把一些重要的事情和我们分享，或许和你商讨重要的人生问题等。这些都是我们的总体形象给人以信赖。而经商同样如此，每个企业主都不希望把自己的业务交给那些没有诚信，做事散漫，质量难以保证的企业，这不但浪费金钱，还让时间一去不复返，最后得不偿失，这些都是企业主们最不想看到的。因此，我们要学会总结经验，规范自己的行为，以身作则，成为企业的形象，成为员工的学习对象。这样就能增强一个人的影响力，增加一个企业的凝聚力，让自己和企业都成为坚不可摧的巨人。

所以，这次经历是一次有益的经历。我们学会在挫折中总结成长，规范自己的行为，增长自己的智慧。当再次遇到相似问题时，我们就能驾轻就熟地完成任务，促成合作。并能客观地辨别谁是有真正的合作意向，谁是刻意逢迎套取信息。这样我们就会节省很多的时间，有针对性地采取行动，为自己和企业获取更高的利益。

在与别人见面的时候，我们要注意自己的言行，尽量做到大方得体，并让别人感到你是一个诚实的人。因为诚实是促使成功的生命力。良好的第一印象很多时候能为我们赢得继续见面的机会，那么取得经营项目的进程又向前迈进了一步，所以有时我们没必要计较自己遇到那些不讲诚信的人，也不必感到气愤。当我们被气愤冲昏了头脑，就会产生不理智的行为，最后只会让相信我们的人大跌眼镜，得不偿失。

报复心态是一种恶习，我们保持理智，克制自己的行为。生活在这个世上，总会遇到很多让自己感到愤恨的事情，但如果我们遇到这些事情一味心里不平衡或者对应地做出偏激的行为，那么我们将要承受的恶果要比单纯的愤恨大很多。因此，没必要因为别人不道德的行为让自己蒙受损失。就像这次事件，因为对方不诚实不守信，让我们白白浪费了准备项目计划的时间和精力。但如果我们对这个人进行打击报复，也对他不诚实和不守信，那么我们会遭遇什么，相信不是那些时间和精力可以弥补的。因此必须保持理智，弄清事情的利弊再采取行动。

这次事件其实是得大于失，至少它让你明白不是什么人都能成为合作伙伴的，我们要学会运用锐利的眼光挑选他们。另外，一个人要获得丰富的商业经验，就离不开挫折的磨炼，每个人都是在磨炼中成长、成熟的。

爱你的摩根爸爸

小贴士：

诚信是促使成功的生命力，我们必须培养自己有这样的特质，并让它变成我们的习惯。只有这样，我们才能在社会生活中赢得别人的尊重，树立自己的品牌，为自己的发展壮大打下良好的基础，因此作为家长要做到以下几点：

1.以身作则，从来不说谎话，让孩子们感受诚实的魅力；

2.当发现孩子说谎话时，先不要生气，平心静气地和他们沟通，让他们主动说出说谎话的原因，然后教导他们说谎的危害性，慢慢杜绝孩子们的这些行为；

3.必要时赞扬孩子们诚实的性情，让他们知道诚实的积极影响。

作为孩子应该要做到以下几点：

1.无论事情对自己多么不利，也不要说谎，主动承认错误，通常很容易就会被谅解；

2.学会主动培养自己诚实的品德，这将会为你带来不可估量的收益；

3.结交朋友时要学会用锐利的眼光挑选，尽量与具有优秀品格的人交往，让自己在他们的熏陶下变得更优秀。

第3课 / 读书是获取经验最快捷途径
——摩根写给孩子的第5封信

> 课前引：我们要学会从读书中总结经验，让自己的思想不断地成熟，从而规范自己的行为，让自己少走弯路。另外，当我们遭受挫折，陷入困境时，读书也是一种自我解放的有效途径，它能洗涤我们的心灵，保持内心的宁静。

我的儿子约翰：

你时常说自己的人生阅历不够丰富，经常因为心智不够成熟而作出错误的判断。我建议一种能有效提高心智，而且能利用最少的时间获得最丰富的经验的方法给你——读书。

很多书籍都记载着人类的智慧，而且无论时代怎么变迁，我们都离不开那些最基本的经验，这些经验每天都在重复，而我们只是缺少发现它们的能力。而读书能够为我们很好地解决这些问题，并让我们的思想不断地成熟，从而规范自己的行为，让自己少走弯路。另外，当我们遭受挫折，陷入困境时，读书也是一种自我解放的有效途径，它能洗涤我们的心灵，保持内心的宁静。

当然书也有很多种，现在很多人都说自己喜欢读书，听起来十分温文尔雅，十分有内涵，殊不知他们说的书是小说。小说是靠虚构美好事物吸引那些头脑愚笨、羡慕别人取得美好事物的人。这些书读多了会让自己越来越幼稚，不能看清事物的本质、本性，最后做出让人匪夷所思的行为。因此，我建议你少读小说，小说可以作为闲暇时间的消遣，但不能成为阅读习惯。我们要有选书的眼光，只读那些能为我们提供宝贵经验和智慧的书籍。

无知是一件很可悲的事情，因为他不知道这个世界有很多事情都有因果关系、是非关系，总是沉浸在自己的世界里，甚至觉得这个社会很不安全，人与人之间的关系十分复杂、十分难以适应。为了避免自己产生这些情绪，我们必须要行动起来，让自己接触更多的事物、面对更多的考验，为了不被这些事物和考验打垮，我们要读书，从书中获得想要的经验，获得解决问题的办法，甚至让自己发现面临的考验和事情是多么的微不足道。这样我们就能一笑置之，保持乐观向上的积极行为，让自己感受生活带给我们的点点滴滴。

喜欢读书，善于从书中获取知识的人，是一个有智慧的人。因为他们能够冲破自己的思维局限不断地接触新事物，了解新事物，从而在需要的时候学以致用，节省自己解决问题的时间。另外，每个人都有自己的经历和意志，因此他们的人生轨迹很少有交集，这让我们面对困境时会有点力不从心，甚至会怨天尤人。但如果读书，我们就能很快地从这些消极的情绪中解脱出来，让自己保持生命力，并坚信逆境只是一种考验，时间能帮助我们解决。我们只需做好眼下的事情，把握现有的时间，保持平常心。如果能够做到这样，幸运之神也会对我们和蔼地微笑。

约翰，我时常觉得读书能让我重生，或许你会觉得我把读书的作用放大了。但当我陷入困境，无计可施时，读书真能让我本来被闭塞的头脑变得十分顺畅，各种各样解决问题的方式方法会在我的头脑中活跃起来，让我看到希望的曙光。也会发现原来困扰我的事情与我本身的欲望和对他人的期望有关。生活在这个世上，我们每个人都是一个独立的个体，没有人有义务帮助别人，也没有人应该为别人而活。这是一个非常浅显的道理，但没有多少人能够了解并理解这句话。因此当自己的欲望不能被满足，或许别人不愿意帮助自己时，我们就会觉得很愤怒，总认为别人很自私，却不知自己犯了人性的弱点。所以，多读有益的书籍就能让我们从这些谬论中解脱出来，让我们不断地规范自己的行为，做"对得起"自己的事情。

　　读书还能扩大我们的视野，让我们知道这个世界地大物博，无奇不有。因此能以更沉着的姿态面对新问题，解决新问题。就像亚伯拉罕·林肯，很多人都说他太年轻，没有资格成为总统，但他在14岁的时候已经把图书馆的书全部阅读过，因此判断时局和处理突发事件的眼光很准确，并凭借自己充满智慧的头脑，把总统的职责顺利履行。所有这些，都是读书给予他力量，让他在世人面前表现出非凡的领导力和洞察力，并以沉着冷静的思维面对世界性的问题，解决问题，就如亲身经历过一般。

　　读书能为我们指明人生的方向。每个成功的人他们都不是单靠天赐的运气取得成功的，而是通过对知识的积累，艰苦的研究，持之以恒的执行，并不断地总结、成长才取得成功的。因此这个世上没有不劳而获的事情，每个人都必须有所牺牲、有所付出才能得到自己想要的成功。读书能让我们抛开那些不实际的念头，并清楚地为我们指明方向，就如看到黑夜的明灯，正是在这盏明灯的指引下，我们才能节省到达目的地的时间，才能不在黑暗中彷徨，坚定自己的意志和决心，让自己以最快的速度达到自己的目标。

　　读书能促使我们明智地进行思考。一个不读书的人，解决问题单凭经验，但毕竟我们的经历都是有限的，而且每个人的悟性都有偏差。这就会造成我们面对从没经历过的事情时变得手足无措，甚至单凭自己的想象去解决事情，导致事情越来越糟糕，不可收拾。而读书就能很好地避免这种情况，它让我们有条理，不紧不慢地解决事情，随机应变，勤于思考，即使不能解决得十分完美,也不至于糟糕透顶,不可收拾。

约翰,阅读历史书籍能够很好地为我们作出商业判断,每个朝代的变迁都有可能是领导人行为导致的恶果,我们要善于从这些历史中总结经验,举一反三,那么我们就能获得意想不到的效果,甚至能让我们发现在管理中存在的问题,运用有效的方法改善改进。这样我们就能让自己的企业在时代的变迁中屹立不倒。

读书是获取经验的快捷途径,因此,我们必须读书,只有读书我们才能获得自己想要的经验,提高自己的心智,让自己保持理性,客观地评价我们遭遇到的事件。这样我们就能采取不偏不倚的方法来解决问题,让自己不致蒙受太多的损失。

爱你的摩根爸爸

小贴士:

读书是获取经验的快捷方法,这要求我们要学会读书,而且只读有益的书籍,并把书中的知识活学活用,这才能避免"死读书"这种现象的存在。在现代生活中,高学历的人很多,但拥有高学历不代表拥有高端的谋生能力,只有那些能够学以致用的人,才能把书本中的知识变为自己宝贵的经验,并从这些经验中提高自己的心智和能力。所以作为家长要做到以下几点:

1.让孩子们自由选择喜欢阅读的书籍,让他们通过书本了解世界上存在的事物,扩大他们的视野;

2.当发现孩子们阅读一些只能作为消磨闲暇时间工具的书籍时,不要立刻阻止,仔细观察他们究竟是深陷其中,还是仅仅用来打发时间,根据情况采取相应的措施,对他们加以引导,权衡利弊;

3.有时间多陪陪孩子走向自然、走向社会,并学会根据情况询问孩子某些领域的知识,让他们感受读书带给他们的快乐和自豪感;

作为孩子应该做到以下几点:

1.把读书作为一种兴趣,但不要"死读书",要学以致用;

2.当有些书籍的内容不是很明白时,学会查阅相关的资料,让内容变得通俗易懂;

3.多与喜欢读书的人做朋友,这样就能互相交流,互相进步。

第4课 / 培养亲密的朋友
——摩根写给孩子的第6封信

> 课前引:我们在社会生活中尽管只是一个独立的个体,但每个人都会有精神需求,而与人打交道,分享喜悦是人们获得精神需求的重要手段,这就需要我们培养属于自己的亲密朋友。

我的儿子约翰:

人与人之间的关系有很多种,同事、战友、上司、下属、父子、母女、兄弟、姊妹等等,这些关系的存在让我们的生活更充实,也正因有他们的存在,我们才能避免精神空虚,才能发现原来这个世上并不是只有我们自己一个人。

有一种关系，当你痛苦的时候，对方听你倾诉；当你迷惘的时候，对方给你以指引；当你高兴的时候，对方也会跟着你一起大声欢笑。这种关系就是亲密的朋友关系。但这种关系并不是随手可得的，它需要我们学会经营、学会选择。

有的人品德败坏，整天谋算着别人的利益而有意接近，一旦我们不能保持理智就会被他蒙骗，最后造成损失。对于这样的人，是不在朋友的范围考虑之列的。我们要学会慎重选择朋友，不要让朋友成为自己的损友。

还有一种人他毫无吸引力可言，却整天粘着我们，但我们又不可能有失风度地给他脸色，因为他毫无恶意，只是不入我们的眼缘。人与人之间相处很讲究缘分，能够和睦相处的人通常是互相尊重、互相理解的人。

约翰，我认为夫妻关系，父母和子女的关系，还有就是我们和父母及其他姻亲的关系都是朋友关系的一种。因此，我们必须花时间维护这些关系，让它们成为亲密的朋友关系，那么无论我们的路途多么艰辛，多么险阻，我们也拥有足够的力量去克服。不要以为这几种关系只要有血缘就能维持，不需要花时间，不需要花力气。很多的错误就是从我们的这些自以为是开始的。另外如果把这些关系都维护好，它将为我们带来更多朋友，让我们在这个世上不再孤单，不再空虚。

另外，很多商机就是隐藏在这些关系中，当我们成为亲密的友人，就会产生对彼此的信任，这时如果有什么商业合作项目也会第一个想到你，这对你事业发展的帮助是不言而喻的。或许你会觉得我有点势利，但在金钱的社会里，每个人对这些关系都十分清楚，而且也知道这些关系代表着什么。

除了上述具有血缘的友谊关系外，还有和其他人的友谊关系。这种关系更需要培养，没有人会第一眼看到你就会把你当成知己。因此，只有通过多次的接触，我们才能分清谁是敌，谁是友，从而对他减少戒备，握手言欢。

亲密的朋友是我们思想进步的源泉。当我们和那些比自己优秀的人做朋友时，我们会从他们的一言一行中学习，希望自己成为像他那样的人，从而不断修正自己的行为，培养自己的能力。另外，和优秀的人交朋友也能增强你的自信心，让你发现自己不是一无是处，对别人也是有价值的，是被别人信任的。还有，我们每个人的思维都有局限性，正常来说很难突然会有什么具有创意的想法。但当我们与人交谈时，这种潜能大有可能就被激发出来，让自己有意想不到的惊喜。所以，朋友是促进进步、迸发思维的好关系，我们要善于维持这些关系，并在这种关系中不断成长和进步。

约翰，我们每天都会遇到各种各样的事情，有时这些事情能让我们高兴、兴奋，有时又会把我们打落谷底，意志消沉。无论是遭遇哪一种状况，我相信没有人愿意一个人待着，都希望把心中的喜悦与人分享，把心中的痛苦尽情诉说。但这个人一定要是关系亲密的人，因为没有人愿意把自己的成功过于张扬，也没有人愿意随便地在人前哭泣，这也是我们的自尊心使然。

亲密的朋友是我们人生旅途的好伙伴，因为在路上我们能够互相支撑、互相扶持、互相鼓励。但知己难求，我们未必能够有这样的运气，找到这么一个人。因为即使在亲密的夫妻关系中，也会出现对对方的失败感到厌恶，对对方的成功嗤之以鼻的现象，虽然不算多见。这也是人性的丑陋，就像别人说的"憎人富贵厌人贫"，也显现了这个特点。因此，如果我们能够寻到这样的知己一定要好好珍惜，好好维护，这样我们才不至于觉得这个世界太冷。

能成为我们朋友的人很多时候都是那些与我们具有相同世界观、道德观、价值观、是非观的人。因此，我们能够拥有很多共同的话题，从而能够相互分担痛苦，相互解决问题，相互进行扶持，相互进行安慰，从而在生活和精神上相互依赖，相互鼓励，相互进步。

但凡事不能一概而论，因为有时即使拥有相同的世界观、道德观、价值观、是非观也不代表对方是能够促膝长谈的人，可以交心的人。真正亲密的朋友除了有相似的观念外，最重要的是互相尊重，只有相互尊重我们才能敞开彼此的胸怀，畅所欲言。

要成为自己的亲密朋友，这个人必须是一个尊重我们，给予我们空间的人，而且更是一个能够设身处地地为我们着想的人。这样的人才能急我们所急，喜我们所喜。生命的是一个分享、共担的过程，当我们能找到这样的人，我们一定要学会珍惜。

约翰，我希望你能把我列入你亲密朋友之列，让我分享你的喜悦，感受你的痛苦。成为你最亲密的友人是我的愿望，希望你能让我实现愿望。

爱你的摩根爸爸

小贴士：

如果有人说他能一个人独自面对人生的风雨，相信没有多少人会相信，这不过是一个人自负的表现。我们人类除了有物质需求外，还有精神需求，而且精神需求大于物质需求，这就要求我们要学会分享，学会承担。但如果能够与自己亲密的友人分享和承担相信是每一个人的追求。因此我们要培养自己亲密的朋友，这个朋友可以是你的丈夫、妻子、子女、父母，甚至可以是没有血缘关系的人。这个人是我们坚实的后盾，是我们勇往直前的合作伙伴。因此，作为家长，我们要让孩子明白朋友对自己的意义，具体应做到以下几点：

1.如果孩子想与某个人做朋友，大可鼓励他们主动出击，让他们建立主动交友的自信；

2.当孩子被朋友伤害而伤心时，认真聆听他们伤心的原因，并根据了解到的实际情况对他加以引导，让他明辨是非，弄清朋友的意义；

3.在日常生活中，要克制自己摆出成人的高姿态，要学会用朋友的方式与孩子相处，这对孩子的教育也大有帮助。

作为孩子应该做到以下几点：

1.父母是我们最好的朋友，最亲密的伙伴，必须谨记这一点；

2.多阅读，让自己分清是非曲直，谨慎交友；

3.当遭到别人拒绝做朋友时，客观地分析他们这样做的原因，如果自己不能解决，向信任的人倾诉，并采取有效的措施应对，不用灰心丧气，丧失信心。

第5课 / 健康是获取幸福的重要资本
——摩根写给孩子的第8封信

> 课前引：健康是获取幸福的重要资本，但很多人都不明白这个道理，认为自己还年轻，新陈代谢旺盛，体内的毒素很容易就能通过各种方式排出，却不知过分透支健康就等于过分地透支幸福。

我的儿子约翰：

每个人都知道健康的重要性，认为当自己拥有健康的时候只要按时排毒身体就不会出现什么毛病。其实不然，健康只会青睐那些拥有自律性的人，对于那些过分使用身体机能的人，健康会远离他，最后只能接受痛苦的惩罚。

酗酒、过分食用咖啡因、过分食用盐分、过分食用糖分等都会加重我们消化器官的负担，日复一日年复一年地重复这些行为，消化器官就会不堪重负，自动停工，导致很多有害的物质滞留在自己的身体，不能有效地进行排泄，那么疾病就会逐渐入侵我们的身体，甚至让身体停止运转。

所以，我们必须提高自律性，并严格要求自己遵守健康的饮食规则，这样才能让自己的身体机能拥有休息的时间，调适机能的运转。就像我们的体力都是有一个限度的，如果我们过分地透支自己的体力，那么我们就会感觉自己全身都发软无力，即使补充再多的食物和水分都觉得于事无补。

健康是需要经营的，我们必须要有目的地进行，不能掉以轻心，对健康掉以轻心就是对生命掉以轻心，就是对自己不负责任，对自己的至亲不负责任。

约翰，我们虽然是为自己而活，但难道自己随心所欲地吃喝玩乐就是最惬意的人生吗？相信你也知道答案是否定的。在社会生活中我们背负着各种责任和义务，这容不得我们任意妄为，甚至没有一点生活目标。亲人是我们幸福的源泉，而我们也是亲人幸福的源泉，这种关系是相互的，我们之中缺少任何一方我们就会觉得自己的生活缺少精神寄托，严重时还会让我们自暴自弃。为了自己，为了家人，我们必须保护好幸福的资本——健康。只有拥有健康的身体，我们才能更好地发挥自己的才干，实现自己的价值；只有拥有健康的身体，我们才有更多的精力为亲人带来快乐，丰富他们的精神需要。

有人说，你以为我不想拥有健康的身体吗？都是生活和精神压力太大才让我感到力不从心，身体不堪精神的折磨，得不到很好的调适才导致健康的恶化。我认为说出这种话的人很会为自己找借口，听起来相信很多人都会有同感。但生活压力和精神压力只有现代人才有吗？即使在自给自足的原始时代的人类一样也有这样的压力。他们为了成功猎取食物，难道不用费心思就能把肥大的野猪抓住吗？为了保护家人的安危，每天睡觉都提心吊胆，生怕那些残忍的野兽前来袭击，等等。可能对于现在的人类来说这根本不算什么，但在那个时代，生产工具极其简陋，住房条件十分恶劣，这些都造成他们精神上的折磨，深感生存压力之大。所以用压力来做身体不健康的借口，我是不能够容忍的。

以上列举的例子是人们身体不健康的主因，但每件事情都是有解决的办法，关键是我们愿不愿意想，愿不愿意按照计划长久实施，这也是影响到健康的一个重要的方面。

每样食物都能提供身体所需的能量和营养，但一定要注意摄入度。我们不要因为喜欢喝酒，就毫无节制地喝，这很容易造成酒精中毒，严重时会让人昏迷。因此，当我们的自律性差，毫无节制地进行一些看似很正常的事情时，我们就会陷入自己为自己而设的迷局，最后难以翻身。每件事物都有两面性，如果我们只看到它美好的一面却看不到其丑陋的一面，那么所有的后果都由我们独自承担，因为一切都是我们咎由自取。

现代生活的节奏很快，导致我们的精神压力很大，如果不会主动调配分散这些压力，不但身体不健康，甚至连精神也不健康。要保持充足的活力和生命力就要学会合理分配时间，合理安排作息。

无论工作多么忙，也不能把这个作为不做运动的借口。我们每天都进行脑力劳动，但过分地使用脑袋也会让我们的精神感到不堪重负，甚至让自己的情绪很难掌控。释放压力一个很好的方法就是做运动。运动能够让我们迅速排汗，把身体里的毒素从汗液中释放一部分。运动还能让我们原来紧绷的脑袋变得灵活，因为在野外运动过程中我们不但能让自己拥有视觉享受，还能让眼睛的压力得以舒缓。还有我们在运动的过程中能让自己的脑袋稍作休息，不去想那些困扰我们的事情，尽情享受运动带给我们的乐趣。运动还能让我们的身体细胞活跃起来，保持充足的动力，加快血液的运转，这些都是对我们保持健康非常有利的条件。

要学会保持稳定的情绪。我们每天面对的事务有很多，如果不能合理安排处理的先后顺序就会让我们感觉很多事情要忙，最后严重影响我们处事的情绪。因此，我们要思考一下用什么方法才能让自己的情绪保持稳定，怎样才能让自己不被生活中烦琐的事务困扰。这些都需要我们做出合理的事务安排，甚至要严格遵守每件事务的处理时间。最好的方法是每次只处理一件事务，不要重复叠加事务，否则无论我们的脾气多么好，都会有感到厌烦的时候。如果能够做到这样，我们就能心平气和地把手中的事务完成，提高做事的效率，也让自己的情绪保持平稳。情绪平稳，我们身体机能的运转就会平稳，这对健康是非常有利的。

保持健康和我们释放压力是大有关系的，我们要学会缓解压力。缓解压力的方法有很多种，这些都在于你个人的选择。有的人面对压力觉得是一种折磨，因此心思整天都关注在压力上，最后造成自己精神困顿，甚至导致抑郁症。但有的人很会与压力相处，当自己感到精神负担很重时，就会有意识地采取行动分散自己的注意力。如停下手头上所有的工作，让自己闭上眼睛什么都不想，放松自己的身体，让自己感受不到身体的重量，尽量让自己在这个时刻保持宁静，拥有宁静。也有的人会把自己为什么要进行这个事务的原因都写下来，逐渐理清自己的思维，重拾追逐目标的野心。这些都是缓解压力的有限方法，当我们陷入自己为自己而设的困境时不妨一试。

过大的压力当然会影响健康，但适当的压力却是人们保持前进行动的动力，我们要用正确的态度对待压力。一个成功的人从来不会为各种事情找借口，也不会轻易被所谓的困难吓倒，这也让他们形成习惯。因此，如果一个人具有足够的自律性，健康的饮食会成为习惯，情绪平静也能成为习惯，缓解压力也会成为习惯，所有这些，都是保持健康的良好习惯。我们要学会培养自己拥有这样的习惯，让自己保持健康，这样才能让我们获得更多幸福。

约翰，健康是幸福的重要资本，我们要记之重之，只有这样我们才能让自己的人生永葆幸福。

爱你的摩根爸爸

小贴士：

健康是幸福的重要资本，而自律性是保持健康的一个重要特质，为使我们永远和幸福生活相伴，我们必须提高自己的自律性，为自己保持健康不断努力，保护好自己就是保护好家人，这是一个非常浅显的道理，希望人们都能明白并做到。作为家长我们要做到以下几点：

1.以身作则，为保持健康的身体进行合理的饮食，不暴饮暴食；

2.多跟孩子说什么食物能提供什么营养，避免孩子挑食也是保持健康的一个重要因素；

3.合理安排孩子们的作息时间，让他们明白合理地作息是健康的基础；

4.尽力引导孩子遇事不惊不躁，让他们保持良好的情绪，保持身体健康。

作为孩子应该做到以下几点：

1.多做运动，明白运动对健康的意义；

2.少吃零食多吃水果，让自己的身体机能保持活力；

3.遇事不慌不躁，冷静分析自己先要做什么事情，然后按部就班地完成任务；

4.缓解压力的有效方法是把自己的目标写出来，然后每天都读一次，让自己的头脑保持清醒。

第 6 课 / 要获得经验就要不断学习
——摩根写给孩子的第 10 封信

> 课前引：如果要完美地完成一项任务，我们除了有聪明的头脑外，还有一个重要的因素就是经验，经验是自我思考的结果，是我们做事的结晶，是促使我们不断进步的基石。因此，我们要不断地学习，不断地从学习中总结经验，为自己实现更大的价值提供良好条件。

我的儿子约翰：

很高兴你能从普通职员晋升为销售部门经理。这也是你个人能力得到肯定的一个重要体现，我为你鼓掌。

我的儿子，虽然知道你不是那种有一点点成绩就骄傲自满，停滞不前的孩子，但我还是想提醒你，毕竟你很年轻。你拥有聪明的头脑，而且遇事十分镇定，能准确分析思考自己眼下重要的事情，然后不断地想方设法完成任务，这个优点我希望你能够保持下去。但有一个成功的重要因素你很贫乏，就是经验。经验是我们日积月累的总结的结果，但无论我们的经验多么丰富也难以应对每天遭遇的新变化，这就需要我们不断地学习，不断地从学习中吸收总结经验，提高自己处事的能力。

约翰，我们每天都会面对各种各样的问题，而且这些问题很多时候都超出我们从学校学到的知识，但我希望你能保持自信，灵活应对这些问题。你大可用在学校学习的态度来解决这些问题。记得你在校期间很喜欢接触新事物，凡事都想探究原因，探究其中的运行规律，探究事物的特性等。并经常为此感到很兴奋，因为你是一个喜欢挑战的人，问题越棘手，就越有兴趣，甚至深陷其中，不能自拔。你这样的精神和做事态度是我们企业主很喜欢的，因此你能在短短几个月晋升为销售经理，我认为不足为奇。

但销售经理关系到整家公司生死，因为有业务才有收入，有收入才能支持公司的运转，你现在把握着公司的生死大权，因此一定要严格要求自己，不能粗心，不能自傲。

约翰，你的经验尚浅，如果想要以最短的时间适应这个职位的要求，我希望你能谦虚地向那些前辈们请教，让自己从他们的经验中筛选有利展开工作的重要信息。另外，你要不断地学习，毕竟别人能够提供给你的信息都是有限的，一切还需要你去探索挖掘。凭借你聪明的头脑，相信也能为销售部门注入新鲜的血液，让其充满活力。但学习，我希望你能从身边的资源着手，翻阅他们过往的资料，了解销售部门的运作，另外还要想方设法寻找新的客户，开拓新的资源，为公司的发展壮大不断努力。

当我们在某个方面经验比较缺乏时，要静下心来思考现时对我们来说是行动重要还是收集资料重要，现时我们手上拥有多少资源，这些资源是否足够让我们完成任务，这些资源能够为我们提供较好的解决方案。这些都是行动前必须要思考的问题，只有把问题弄清楚了我们行动起来才会有清晰的思路，弄清楚事情的轻重缓急，合理地做出安排和分工，这样我们才有可能完成任务。

有时因为经验使然，即使我们想得多么周密，但总会存在疏漏。这个时候自责是不能解决问题的，应该思考是什么原因导致这个问题意外地出现，要采用什么行动才能把这个问题克服，使工作继续顺利开展。就是在这样不断地重复思考和学习中，按时按质地把任务完成。不要以为任务顺利完成了我们的工作也完成了，我们还要及时总结，让这次任务成为一次重要的经验，当遇到类似问题时，我们就能非常完美，没有错漏地把这些问题解决，并提高了做事的效率，利用剩余的时间去学习一些新领域的知识，并不断地开拓新任务。

面对新任务，我们每个人都没有经验，这就要求我们要更严谨、更认真地把这个任务完成。具体我认为可以按照以下的步骤进行。

首先，分析一下自己有没有这方面的知识，自己的周围有没有懂得这方面知识的人。然后思考怎样才能取得第一手资料，哪些资料对我们有用，哪些资料我们不需要用到。另外，资料的选择不能单凭自己的直觉，要用客观事实去论证，无论时间多么紧迫。当自己的资料不全时，不要武断地把事情开始，往往我们都要为自己的武断负责任，得不偿失。所以，一定要尽可能多地进行论证。因为自己的经验不足，我们要学会向别人请教，希望别人能给予客观的建议，因此必须保持谦逊。请教的对象也很讲究，最好是和自己拥有相同职位，或者比自己的职位高的人，这样的人才能站在公司的立场想问题，才能推心置腹地给予中肯的建议。

当一切的资料都准备就绪，我们就大胆地、按部就班地把事情进行，并要学会根据实际情况，适时地对计划进行调整，但无论怎么调整也不能离开整个任务的最终目标，这是前提条件。如果能做到这样，相信即使你不能把任务达到想要的目标，也能得到不是很坏的结果。

约翰，人是在不断学习积累经验中成长的，即使到了我这样的岁数，也不可松懈。我每天都要跟着社会变化的节奏学习，从对某一方面的认识为零开始，直至变成这方面的能手，虽只是能手，不是专家，却足以让我应对任务的挑战，并取得想要的成果。因此，我从来不怕接触新事物，因为新事物的存在我们的社会才得以进步，而我们作为人，也应该紧跟着这个步伐，让自己不断成长，不断进步，不断适应社会的发展，这样才能让我们的企业保持活力，不断地发展。

约翰，你是一个头脑很聪明，知识很丰富的人，相信你能凭着自己的才智勇敢地面对新事物的挑战，不断地学习，把这一次次的挑战变成丰富的经验，这样你就能成为一个优秀的管理者，企业的领导者。

爱你的摩根爸爸

小贴士：

经验是从发生过的事情中获得的知识和智慧，因此，我们要不断地学习新事物，不断地接触新事物，不断地研究新事物，这样，我们才能从一次次学习中汲取宝贵的经验教训，以充实自己的头脑和提高遇事的应变能力。所以，要获得经验就要不断学习，不断学习就要求我们不能停滞不前，必须勇敢地向前出发，不断地挑战生活的考验。作为家长我们应该做到以下几点，让孩子们获得更多的经验：

1.当孩子们对新事物感兴趣时，不刻意阻止，鼓励他们发挥主观能动性，把新事物的知识纳为己有；

2.当孩子们感觉学习新事物困难时，引导他们寻找相关的资料，让他有一个概念，从而激发其学习的兴趣；

3.要引导孩子学会选择信息，这样才能避免他们劳而无功，对探索产生消极情绪，不利于对事物的认识；

4.当孩子们顺利完成任务时，要适当地赞扬孩子，并引导他总结这次学习、探索的经验，把知识和手段变成自己的资本。

作为孩子应该做到以下几点：

1.当对某些事物好奇时，大可运用自己的好奇心，不断地进行学习、探索，让自己掌握这个方面的知识；

2.如果自己的知识和经验不能判断对我们有用的资料时，我们要学会向别人讨教，从而客观地选择资料；

3.在进行学习、探索过程中如遇到突发的事情阻碍计划的进行，要学会随机应变，适时调整计划，这样才能让自己顺利完成计划；

4.善于总结经验，并把这些经验变为自己的资本。

第7课／谁也抵挡不了礼貌
——摩根写给孩子的第11封信

> 课前引：没有礼貌的人在这个社会生存会感觉很不顺利，因为人们都不喜欢没有礼貌的人，认为没有礼貌的人是一个不尊重别人更不尊重自己的人。为此，我们要学会在合适的场合使用合适的礼貌，让礼貌助我们一臂之力。

我的儿子约翰：

听说你最近为招聘部门的销售人员感到苦恼。这是正常的事，销售人员是一家公司的门面，是一家公司的形象，如果随意挑选会让销售额下降，最后就得不偿失了。

　　说到"形象"、"门面"让我想起在社会生活中必须拥有的一项技能，就是学会使用"礼貌"。

　　礼貌是很容易通过学习就能获得的，但如果要变成习惯就需要一定的时间了。礼貌决定我们仕途。这样说或许有点严重，但事实上，很多人都喜欢根据对别人的印象，对这个人进行评价，虽然有失中肯，但试问有多少人有时间去认真了解一个人。况且这个世界的人千千万万，即使花掉一生的时间也难以把这个任务完成。因此，给别人的印象是非常重要的，而礼貌是谁也抵挡不了的好品格。

　　一个成功的人，除了有学识和胆识外，礼貌也是一个必不可少的条件。但很少有人能够认识到这一点，总是忽视对这种品格的培养，甚至觉得这些都不过是一种做作的行为，让人难以接受。对于有这种想法的人，我认为他们对礼貌的含义和行为不是很了解，甚至有一点偏激。

　　礼貌的举动存在我们的周围，当我们想要别人帮忙时大可在询问的语句前加一个"请"字。例如，"请帮我搬一下文件行吗？"如果听到这样的话语，相信谁也拒绝不了，甚至会想别人如果搬得动还会用这种带有请求语调的话语来询问吗？又如当别人帮助了自己时，要及时地说声"谢谢你"，相信对方会被你这句话弄得有点甜滋滋，其实很多人的心地都很善良，很乐意帮助别人，并以帮助别人为荣，当听到你说这么一句话时，感觉自己真是做了一件好事，从而让自己的心灵感到满足。所以礼貌虽只是简单的一句话语，简单的行为，却为别人换来不简单的心情。

　　作为一个领导者，不可能把任务全部都自己包揽，如果真有这样的能力，相信公司为了节省成本也不会雇用那么多人帮助你。因此，怎样下达任务也需要一点小技巧，这也离不开礼貌的帮助。就像"露丝小姐，麻烦你把这个计划书重新修整一次，有几个不太完善的地方。"相信露丝小姐听到你这句话会欣然接受计划书的修改，因为你的礼貌软化了她固执的心。听到你这样说反而会有点不好意思，因为修整计划书也是她工作的内容之一，也是她需要为公司提供的服务。但如果你这样说："露丝小姐，你怎么做事的，连一个计划书都不能做好。"然后愤怒地把文件递给她，相信她听到你这样的话语会很不服气，感觉你在挑刺，甚至认为你不尊重她。从今往后，无论你做什么事，她都会认为你在针对她、讨厌她。这不但让她对你的指令产生抵触的心态，还会阻碍她才能的发挥，做事越来越马虎。这样的结果相信不是你想要的，我们好不容易才培养了一个对业务上手的人，却因为自己的不礼貌不尊重导致他不能很好地为我们服务，即使要聘用新人也需要时间来磨合，这大大地增加了时间成本，这样愚蠢的事情相信你也不会做。因此，礼貌能提高我们工作的效率和质量，我们要学会礼貌地做人，礼貌地做事，这才是一个明智之举。

善于聆听也是礼貌的一种，相信没有人喜欢自己正谈得兴高采烈时被人打断话语，那种失落感不是一般的词语能够形容的。而且会觉得打断自己话语的人很没礼貌，甚至认为他们不尊重自己。因此当别人说得十分兴奋时，我们要善于聆听，让他们在自己话语中自由地飞翔，获得演讲的快感，更让他们冲破自己的思维，说出具有创造性的话语。当这个说话人停下来的时候他会对你这个聆听者留有很好的印象，认为你是一个有耐性，懂得尊重别人的人。这个礼貌举动也有利于你和他的交往。

但有一种人却很自私，他们只关注自己的事情，滔滔不绝地把自己的愤恨都说出来，好像全世界都欠他人情一样，从来都不关注别人的需要，不理会别人的情绪，只以自己为中心。这种人也是一个十分没有礼貌的人，他的眼里只有自己没有别人。对于这种人我们要学会避之则吉。

在与人交往中，要获得友谊、获得尊重，可以少说自己的事情，多问别人的事情，弄清别人的背景，但不能事无巨细都问，否则别人感觉你有点不怀好心，好像在打听什么事情似的，因此对你有所戒备，这就会影响你们的交往，甚至会让别人拒绝与你交往。因为你让别人感觉很不安全，感觉是一种威胁。为了避免这些事情的发生，我们可以谈一些比较简单，比较普遍，又不涉及个人利益的话语，这是展开交往的好开始，如果能够做到这点，相信双方都会给对方留下好印象，为下一次见面做了一个很好的铺垫。

由此可见，第一印象很重要，而礼貌能让我们获得好印象。就像我们要应聘一份重要的工作，如果穿着一套去沙滩游玩的服饰去面试，相信面试官不用十秒就把你否定，因为感觉你像是来玩，不是来应聘的。或许你会说着装和礼貌有什么关系。如果你问出这样一个问题，我只能说你不懂处世，情商低劣。因为我们的着装也体现了对这份工作的重视，也体现了对面试官的尊重，如果你连这两点都不能正确认识，我劝你还是趁早放弃加入别人的大家庭，不如自谋出路好了。就像你被邀请到一个家庭参加美式的朋友聚会，这种聚会要求每个人的着装都很正式，主人也会用精美的食物、上等的美酒来招待。如果你有一点常识，也不会穿拖鞋、短裤去参加吧。这会让到场的人都感到大煞风景，甚至觉得因为你的存在而破坏了聚餐的气氛，然后郁郁寡欢地离开。甚至连主办的朋友也会觉得你不尊重他，对他有意见才做出这样的行为。如果你还不能醒悟，想着下一次友好的聚会，那么我想说不会有下一次了，谁也不会邀请一个没有礼貌，不懂得尊重别人的家伙。

与人交谈时，用自己的眼睛看着他人的眼睛也是一种礼貌。但这种礼貌也是要分场合的。如果是只有你和聆听者两个人，你可以采用这种方式，这样聆听者也能感受到你在告诉他这些重要事情，觉得自己受到尊重，从而对你有好印象。但如果你面对众多的人在演讲，你就不能单纯地用眼睛注视某一个人就觉得是对全场的人的尊重。这有点适得其反，这会让他们觉得你是在和某一个人谈话，而不是对在场的所有人。因此，为避免这种现象的发生，我们要采取另外一些措施，例如采用提问的方式，又或者让听众们发表自己的论点等，让他们参与其中，并不断地与他们进行互动，这样听众也觉得自己受到尊重，从而对你的演讲加以赞许。这也是礼貌的一个重要体现。

另外用餐也是体现礼貌的一个重要场地。就像在西式的饮食里会用到各种各样的餐具，每件餐具都有它的用途，如果你不能很好地在餐桌上进行区分，这会让一同就餐的人大失所望，因为他们认为你是一个不尊重用餐礼仪，傲慢无礼的家伙。与这样的人一同用餐让自己也被别人感觉不优雅，有失大体，有失尊重。因此曾经有人说有些领导者在餐桌上挑选管理人员也是有道理的，因为在餐桌上或多或少也能看清一个人本性。

当晋升的候选者有两名时，他们的能力相当，让决策者难以选择，这时他就会想到与这两个人共进晚餐。点餐可以看出一个人是否有主见，是否遇事犹豫不决，不够果断。另外，点餐的顺序也能看出一个人是否懂得礼仪，是否知道西餐的进食顺序都是很有讲究的。如果这些都让两人顺利通过，那么决策者就会从他们的着装、谈吐、行为举止等细节地方进行选择。所以说礼貌也会影响我们的仕途就是这个原因。

约翰，关于礼貌我已经说了很多，相信你也明白我想传递怎样的信息给你。我们作为一个领导者一定要以身作则，善用礼貌。这能为我们建立健康的形象，也能让你的下属更加尊重你。另外，挑选那些懂得礼貌重要性的人作为自己的下属，你也能减少很多烦恼，因为他们能主动为公司树立良好的形象，间接地为公司做了广告。谁也抵挡不了礼貌，此言非虚。

爱你的摩根爸爸

小贴士：

谁也抵挡不了礼貌，因此我们要学会把礼貌变成自己的一个习惯，只有这样，我们才能在与人交往中不断地为自己留下好印象，也成为别人选择交往的第一选择。另外，礼貌能给我们带来好运气，它是我们获得机会的第一步，所以对礼貌习惯的培养是一个不容忽视的重要问题。作为家长我们要做到以下几点：

1.以身作则启用礼貌用语，让孩子们在潜移默化中感受到礼貌的好处；

2.引导孩子们在什么场合用什么礼貌，这能使孩子掌握礼貌的灵活性；

3.着装是礼貌的一种，让孩子们保持整洁着装并使之成为一种习惯；

4.多和孩子讨论礼貌的重要性，让孩子把礼貌用语和礼貌行为变为自己与人交往的资本。

作为孩子应该做到以下几点：

1.善用礼貌用语，这是获得帮助的首要条件；

2.从不打断别人的话语，认真聆听，尊重别人；

3.注意用餐礼仪，保持衣服整洁，这些行为能让你得到别人的尊重；

4.无论遇到什么问题都不恶言相向，善用礼貌用语化解矛盾。

第8课 / 学会激励自己和别人
——摩根写给孩子的第12封信

> 课前引：激励就是激发自己和别人的信心，让别人和自己进行自我暗示，相信自己能够抵达想要的成功。激励是促使我们行动的动力，让我们无论遭遇什么困境都勇往直前。

我的儿子约翰：

作为一个管理人员我们要学会引导员工成为本企业需要的人才，但怎样才能做到这一点，就需要我们进行思考。另外，我们在学会引导别人以前，也要学会引导自己，因为一个成功的管理者永远都是下属的效仿对象。因此如何能够进行自我引导和引导别人是管理者的一门必修课。

凭借我多年的经验，我认为最好的引导方式是激励。一个懂得激励自己和别人的人是一个乐观积极勇敢的人。他们从来都不会惧怕新挑战，总是能够迎难而上，为达到目的勇往直前。激励就是激发自己和别人的信心，让别人和自己进行自我暗示，相信自己能够抵达想要的成功。激励是促使我们行动的动力，是一种积极的行为。因此，如果我们能够保持乐观向上的心态，相信自己能战胜胆怯，相信自己有克服困难的能力，那么我们行动起来就有如神助，"力大无比"，成功地把阻碍我们前进的大石头搬开。

另外，激励已成为人们研究的课题，他们认为激励就是"暗示"。如果一个人能够暗示自己有能力成为想要成为的那个人，那么无论他以前的学历、智慧、能力等因素如何差劣也能让自己成为那个人。由此可见，激励的作用是无穷的。

约翰，正因为激励的作用是无穷的，我们要让自己拥有这方面的能力。当我们拥有了这方面的能力，我们就像一个成功的预言者一样，总是能够预知结果。因为有些事情的顺利完成与我们自身的某些因素无关，却只与我们能够相信自己有能力完成目标有关。

因此，我们作为销售部门的一名员工，很多时候要面对各种各样的客户，但有时有些客户好像很难沟通，甚至给人感觉十分难以接近。这些因素都会让我们感到胆怯，不敢接近。但胆怯的人在销售行业是很难成功的，因此，我们可以先深呼吸一下，然后进行自我激励："没什么，我能行，我一定能行。"然后就在这样的暗示声中前进，相信你也能获得意想不到的结果。

但有时这种鼓励的方式或许还不能促使我们行动，因为激励除了要进行自我暗示外，还要学会鞭策自己行动，克服心中的恐惧。我们必须学会说："立即行动，机会一失，时不再来，迅速行动。"在这样的鞭策声中，相信无论我们遭遇的环境多么恶劣，我们也会立即行动起来。

每个人都有犯错的时候，尤其作为一位推销人员，他们的薪酬和业绩挂钩，这促使他们想利用"快捷"的方法尽可能多地成功接单。因此采用了一些让人难以接受的手段，如"欺骗"，对于这样的员工我相信你也不会支持他的行为，虽然能够为公司带来收入，但手段严重影响公司的形象。因此你必须和这个员工谈一下，让他了解这种行为的严重性，并跟他说明实话实说的好处，然后鼓励他在行动以前要进行自我激励："要实话实说，要实话实说。"只有这样他才能及时修正自己的行为，为公司赢得更多的订单。

另外，要学会相信自己的下属。如果下属们能感受到我们的信任，那么就能很好地激发他们工作的热情。每个人都希望被人信任，被信任能让人感到有满足感，并认为自己的能力受到肯定，这样就会增强自信，无论遇到怎样的客户都能相信自己有这个能力把他们拿下，让他们成为公司的客户。但信任也有积极和消极之分，积极的信任当然能够取得以上的成果，但消极的信任就像一把锋利的刀，让接触到的人无一例外都会受伤，这就会影响整个团队的情绪，影响整个团队的业绩。

还有一种重要的激励方式是日常生活中很常见的，现在我正运用着，那就是写信。写信是一种能够激励别人和自己的好方式。我们能通过写信把自己想要说的话语传达，也能通过写信对员工进行激励，也能通过写信把平时我们不敢说的事情说出来等等。这样的方式是人们进行沟通的有效方式。就像现在我和你用信件交谈，我们会谈论到很多平常见面很少会谈论到的问题，也会在写信过程中思考我们想说的每一句话，通过对这些话语的思考，我们能提炼出自己思想的精华，读信人也能被这些精华话语感染，从而反思自己的行为、思想，及时修正行为，或消化这些论点，让这些论点成为自己的智慧。因此，写信是一种能够激励别人和自己的好手段，只要我们学会合理利用，它将会为我们带来意想不到的效果。就像现在我们在全球各个地区都有自己的分公司，作为一个领导人你不可能巡视每一家公司，但你能写信给每一家公司，让每个员工知道我们的工作虽然繁忙，但时刻都挂念他们，也对他们为公司的贡献了如指掌，感谢他们的信任和努力。相信收到这些信件的公司都会被你的这个举动感动，并会更努力地效忠公司。

父母与孩子的沟通也能通过信件的形式。现在人们经常说自己和孩子们有代沟，但我认为这不是借口。一个负责任的父母，一定会想方设法与孩子沟通，并引导他们往好的方向发展。就如上文说到，书信能让我们说出平时不会说的话语。既然这样，我们一定要善用这种方式，让孩子们知道我们时刻在关注他们，时刻都记挂着他们，另外还可在信中通过内容塑造他们良好的品性，也能和他们探讨困扰他们的一些问题的解决方法，并针对这些事情给予一些建议。只要我们在信中的语气中肯和蔼，相信没有多少孩子能够拒绝这样的教育方式。这比我们口头说的话得到的效果要好很多。因为我们总是很难控制自己说话的语气，有时让孩子们听起来像责备他们，他们就从心里对我们有所排斥，甚至感觉不耐烦。但运用信件的方式进行沟通却能很好地避免我们犯这样的错误。

现在我经常和你通书信，相信你也明白写信的时候我们会不断思考，也会反复斟酌，这使我们写出来的话语十分得体和语调十分和蔼。收到书信的人不会感到不耐烦，反而很乐意，在闲暇的时候也会把书信拿出来反复阅读、反复消化。这不正是我们写信人的目的吗？因此，好好运用这种方式与人沟通吧，相信你会得到自己想要的结果。

每个父母都会对自己的孩子寄予厚望，希望他们能成为社会的栋梁，但怎么做才能让孩子成为我们想要他成为的那个人呢？这就离不开对他们进行激励，因为每个人受到激励都会从消极的情绪转化为积极的情绪，不断地调整心态，努力奋斗成为自己想要成为的那个人。另外，父母们应该信任自己的孩子，只要你能够信任他，并让他感受到你的信任，那么他就会觉得自己真有这样的能力让自己成功，并在信任中不断激发自己的潜能，把自己所有的美好都展现在人前，成为出色的托马斯。因此，对待员工，我们也能采用这样的方式，把他们培养成为托马斯，并相信他们会成为托马斯，这样员工也能感到你对他的信任和期望，努力发挥自己的才干，不断地为企业做贡献。

但有一点我必须提醒你，口头上的激励只是暂时的，我们要学会运用物质的激励，如晋升职位、加薪等。只有运用这些落到实处的激励方式，员工们才能以此为目的不断激励自己的行为，让自己的行为不断符合标准，获得自己想要得到的激励方式。另外，这些激励方式必须符合一个标准，就是从低层次的激励方式到高层次的激励方式。因为每个人都喜欢自己现时没有的东西，而且这个东西要非常有吸引力，否则不但不能达到激励的效果，甚至让自己的员工觉得自己小气。因此，激励员工的方式也不能一成不变，要因地制宜，选择合适的方式，让他们在这些激励中为公司创造更高的价值。

约翰，我们不妨留意一下什么方式对自我激励很有帮助，然后思考一下自己的员工会不会接受这种激励方式，这种激励方式对员工是否有同样的效果。一旦发现这种方式被大多数人接受，我们不妨大胆地把这种激励措施落实，让员工们保持激昂的斗志为企业创造更高的价值。把激励作为自己的习惯吧，只要你能把这种积极的行为作为习惯，那么你将得到意想不到的收获。另外，我们也要学会让自己的员工把这种方式作为习惯，只有这样，我们的团队才是一个积极的团队，才是创造价值的团队。

但众多的激励方式中，或许领导人以身作则是一种最好的激励方式。因为人性总有一些猜度别人的弱点，当你对他进行激励时，他会觉得你空口说白话，自己都做不到为什么要求别人这样做，这时你也不必为自己辩解些什么，用行动去证明就好。下面我为你讲一个例子，听后你会明白我为什么会这样说。

有一次我到麻州公司检查工作，有一位平时比较优秀的员工向我抱怨自己在西奥克斯中心服务了两天也没能成功接到一个单子。我问他是什么原因导致这样的结果，他说因为西奥克斯中心的人大多是荷兰人，而且民族意识很强，很少相信陌生人推荐的东西，而且他们的收入很不稳定，没有多余的金钱来购买金融产品。听到他这样消极的分析，我明白为什么他不能把这里的单子顺利谈下来，于是我决定和他一同前往，让他知道他想的问题不是什么大问题，所有的障碍都是我们自己设定的。

在路上，我没有说一句话，而是在思考怎样才能在那些讲究民族意识，而且收入不高的人们那里推销自己的产品。在还没有想到任何办法时，我不停地进行自我激励：我能行，问题一定会有解决的办法，我一定能行，一定能在那里成交很多单子。在这样的自我暗示、自我激励中有一个积极的想法浮现在我的脑海里。

首先，我找到西奥克斯的领导人，跟他了解西奥克斯的情况，从他的口中我掌握了有关这里的大部分信息，于是表明身份，向他说明我们的产品的优点，并让他知道这些产品不过是一种保障，而且这种保障保护他们的民族意识，并能增加他们的安全感，因为他们收入不稳定，这导致他们很难为意外的情况做准备，而这些金融产品却给予他们安全感，让他们在危急的情况下多了一份保障。就这样，我把这名推销员认为的缺点变成了优点，并与这位领导人达成了共识，签订了合同。

这位领导人在荷兰人中具有一定的影响力，只要他下单购买，相信其他人也会跟从。一个讲究民族意识的民族，他们团结起来的力量却是十分巨大的。因此，我们把西奥克斯的单子顺利地全部拿下。

这就是我在麻州为下属销售人员上的一课，当然自我激励帮助了我不少，相信通过这样的方式也很好地激励了当地的员工运用积极的行动开发新的市场。

约翰，激励自己和别人，这样我们就能激发自己的潜能，不断地创新收益，让自己和别人都发展壮大起来，成为企业的支柱，成为企业发展的生力军。

爱你的摩根爸爸

小贴士：

激励自己和别人就能激发工作热情，当一个团队拥有了工作的热情他们就能主动创新，发挥自己的能力，获得让人喜出望外的成功，因此，我们要学会激励自己和别人，让自己和别人的潜能都得以发挥，为社会的文明进步不断地做出贡献。作为家长我们应该做到以下几点：

1.面对孩子的哭闹要克制自己的情绪，当发现自己可能要发飙时，进行有效的自我激励，相信自己能以平静的情绪安抚孩子，让他们感受到我们对他的爱；

2.当我们对孩子有期望时，大可以适当地对他们进行激励，并充分信任他们具有这方面的才能，让孩子在你的激励中不断增强自信，发挥才能；

3.如果发现孩子们对我们的话语产生排斥心理，那么改用信件的方式与他们沟通，让他们明白和消化我们想说的道理；

4.可以采用有层次的激励方式激励孩子，让他们不断地追逐新目标，不断地进步。

作为孩子应该做到以下几点：

1.当父母不能理解你的行为时，可以用书信的方式告诉他们你这样做的原因，相信他们会理解的；

2.遇到困难先不要抵触，静下心来分析一下这些所谓的困难是不是真这么难解决，然后自我激励，相信你能看到事情积极的一面，然后再采取行动；

3.不好高骛远，从身边的事情做起，从小目标到大目标，一步一脚印达到自己的大目标；

4.当事情不能一个人解决时，学会激励自己和别人，让他确定能够帮助你。

第9课 / 妥善地分配时间
——摩根写给孩子的第16封信

> 课前引：我们在社会生活中扮演了很多的角色，但能否妥善地分配时间平衡这些角色是一个人终身需要学习的内容，如果能够做到，那么我们就能充分地享受生活带给我们的乐趣。如果不能做到，我们就要反思一下自己在什么环节出现了问题，然后思考解决的方案。

我的儿子约翰：

最近看到你为公司的事务忙里忙外，加班加点觉得很心痛，但同时也觉得很欣慰。心痛是因为担心你的身体过于劳累，害怕你会生病；欣慰是因为我觉得自己没有选错首脑，你是一个十分负责任和敬业的人。但我们是人，人都会有感觉累的时候，如果真有这种时候，希望你不要感到苦恼，因为这都是很正常的现象。而且或许这正是身体给你的信号，希望你及时充电，为往后事业的发展不断地储蓄新能量。

约翰，我知道你很忙，公司的壮大是一件好事，但同时也为我们领导人增加不少压力。但我想说，你只有一个身体、一个脑袋，总不能要求自己把每家公司的业务都兼顾吧。我们要认清自己的工作内容，作为一个决策者，我们要把时间用在影响公司发展的重大决策上，而不是参加每一家公司的业务活动，如果真这样，我真为你感到头痛，因为你不吃不喝不睡也不可能把这些事务完成。因此，适当地授权成为一个聪明领导者解决问题的最好方案。

我相信公司已经实行这个政策，让每家公司都有一个管理人员，他们是公司的第二领导者。公司能否正常运转和发展壮大就需要他们运用自己的知识和能力去创造发挥，而我们只需给予建议即可。

有了管理人员的存在，我们身上的任务就会骤减，但如何合理安排你现时的时间是一件十分重要的事情，尤其对于像你这样的首脑式人物。按我工作多年的经验，我认为一个领导者要做的日常事务包括这些：参加新方案的讨论会议、决定公司重要资产的购买、监督员工发挥创新精神设计新产品、并考虑新产品是否适合投放市场，另外，还要为公司的发展壮大设立目标，等等。这些常规的工作内容大概只会占用你工作的一半时间，其余的时间就由你自己支配，具体做什么这些就是你需要考虑的事情。

我们作为公司的首脑，必须要有宽广的视野，聪明的头脑，还要有远见。这也是我们和普通管理人员的区别。可以说管理人员是公司计划的执行者，他们负责根据公司的发展计划制定行动的指南，并让下属人员积极配合自己的工作，让自己完成你给他们分派的任务。但作为公司的首脑，我们只需要时不时监督一下进程，其他的部署都由管理人员去完成。因此，首脑式的人物不是每个人都能胜任的，如果明明知道自己没有这样的能力，还接受这样的任命，那只会为自己招来灭顶之灾。

在你成为董事长以前，我经常会要求你做一些貌似很讨厌的事情。希望你能够理解，因为我深知公司的首脑需要怎样的才能，所以刻意想培养你有这方面的能力，因为，只有你提前有这种能力，当真正实施的时候你才不会感到困难，甚至觉得力不从心。世界上有很多有远见、视野宽阔、有智慧的人，但他们都没有这样的幸运能成为一个大企业的首脑，而你却因为出身有了这样的机会，我不希望你因为能力问题让其他人对你加以诟病。所以，充分发挥你的才智，为公司的发展壮大不断努力，让那些想打击你的人能够心悦诚服。

在你成为董事长以前，我们讨论过很多有关这方面的问题，希望你能努力回忆一下，相信你会找到自己想要的答案，并让自己的思路更加清晰。

记得你读大学的时候，也很清楚自己将要面临怎样的挑战，因此选读了企业管理和财务专业，并认真地学习这两个专业的知识。你很聪明，当你学习了这两个专业后，发现要成为一个成功的企业领导人单纯拥有这两方面的知识是远远不够的，因此又选修了经济、法律、商业、政治等方面的内容，不断地扩充自己的知识，让自己的视野变得越来越宽阔，并知道凡事都是有联系的，懂得用全局的思想去考虑问题。

经过4年的艰辛学习，让你的智慧不断增长，甚至比同龄人拥有更多的知识。但作为父亲的我好像对此都不是很满意，竟然在你的办公桌上放上了几本我认为必读的书。对此你没有感到气愤，而是心平气和地按照我的指引按部就班地进行阅读，并把这些书本中的知识变为你自己的智慧。为此我真是很高兴，同时也发现自己的眼光很准确。记得亨利·大卫·索洛说过：不能单凭自己读过一本好书就认为自己很有智慧，当你环顾四周，会发现你从书中获得的这一点点智慧根本不算什么。所以，不要认为自己读的书已经很多，不需要再从其他书中获取营养，否则只会被别人笑话你目光短浅。因为每一本书都反映了社会的某一个现象或多个现象，但却不能用一本书就把社会的现象全部概括下来，暂时没有人具有这方面的能力，况且社会每天都瞬息万变，相信也没有人能及时地把这些现象加以撰写。所以，无论你读了多少书，都是不能让你看清这个包罗万象的世界的，我们必须要认清这一点。

要扩大自己的事业，除了读书，还可以去旅行。你属于比较幸运的那一种，因为你12岁就出国旅行了，而且在大学毕业以前已经走过了很多的国家，因此外国的风俗、文化、地域等对你来说已经没有多少吸引力。但你却很善于运用自己在旅行中的见闻，并乐于研究一些你从未接触过的事物。面对新事物你总是充满好奇心，并希望能从中找到让公司发展壮大的新点子。好奇心是企业领导者必备的素质，你拥有这样的素质让我感到很高兴，每次看到你眼中对新事物的热切期盼都让我感到企业又有了发展壮大的机会。

旅行能让我们增长见闻，并让我们的目光变得远大，但也离不开其他人的帮助。如果没有下属员工的劳心劳力，没有他们的尽职尽责，没有他们的苦思冥想相信公司也不会以这样的速度发展壮大。因此我们要学会接触人，了解人，并从他们身上进行学习，不断地加强自己对人的认知，这对我们事业的发展是很有帮助的。尤其是我们这种行业，每天都必须与人打交道，如果连这种重要获取信息的渠道都忽略，无论我们拥有多大的宏图大志也是没有用的。

我们每天都忙忙碌碌，勤勤恳恳，但总有感到厌烦的时候。每当这个时候，我就会去划独木舟。我很喜欢享受这种与大自然亲近的时间，没有任何力量比大自然更能安抚别人烦乱的情绪。

大自然是造物主送给人类的最好礼物，当你身处其中，不论有多大的烦恼，大自然都能为你祛除，让你享受与大自然亲近的时间，并不断安抚、稳定你的情绪。当我们在独木舟上静静地睡上一觉，我们会感觉自己置身于天堂之中，没有任何烦恼，没有任何触动情绪起伏的恶魔，只是静静地，静静地，静静地随着流水任意漂荡。一觉醒来，原来困扰我们的问题似乎也有了答案，而且十分清晰。另外身体也好像补充了什么养分，充满了活力，就像重生一样。

大自然的力量是一种不容忽视的重要力量。

约翰，有一件事我认为你做得很好，就是除了和新朋友打交道外，还与自己读书时的同学保持联系。因为生活环境条件的不同，不是每个人都有精力去经营自己的友情，而你却做到了这一点。没有比学生时代更纯洁的友谊了，我们都是纯交往，不讲物质，不讲功名，不讲利益。而且这样的朋友通常都可视为知己好友，必要时还会无条件地任凭你吐苦水，即使不能提供多中肯的意见。我十分羡慕你能有这样的朋友，希望你能一直坚持经营下去，这将会是你人生的亮点。

除了经常与朋友见面，你还是一位好爸爸，经常抽时间陪伴自己的子女，并与他们参加各种各样的家庭活动。很多人都不能做到这一点，认为公司的事务已经占据了自己大部分的时间，哪里有闲心去理会这帮需要供养的家伙。这样的想法虽然有点偏激，但绝大部分的人都有这样的观念，有点不可一世。但你却把这些协调得很好，让我的孙子女们尽情享受父爱，这是那些与你同龄的年轻人所不能比拟的。

在我们的周围，总是有很多的年轻人喜欢酗酒、赌博、吃用麻醉药物，每天都在外留宿等等。这些行为是极不负责任的行为，不但对自己身边的人不负责任，对自己更是残忍可悲。每个人都有自己的人生价值，但他们却不能深刻地认识到这一点，肆意地浪费自己的青春，残害自己的身体和健康，甚至让身边的人不断地为他收拾烂摊子。当事过境迁，很多重要的人都离他们而去，甚至自己已经年纪老迈，穷困潦倒，这时才哀叹年轻时候的所作所为有什么用，生命对于每一个人都只有一次机会，哪有重来的说法。

约翰，我希望你能坚持妥善地安排自己的时间，不要整天陷在公司的业务里，尽力地扮演好属于自己的每一个角色，这样你才不会觉得冤枉。有效率地工作属于那些懂得调适、调配时间的人。如果我们24小时都陷在工作之中，相信无论我们的视野多么宽广，能力多么出众但都会变得十分迟钝和狭隘，因为疲劳的身体和精神的不富足让我们感到生无可恋，甚至感觉十分烦躁。但如果我们每天都在规定的时间内完成工作，并合理安排自己的业余时间进行运动、亲子、恋爱、交往等活动，相信我们的精神会因此而变得十分富足，并感到身心十分愉悦。

约翰，学会平衡自己的生活，妥善地安排自己的时间是幸福生活的开始，也是保障幸福生活的重要措施，我们必须要做到这一点。一个懂得调适、调配自己的生活的领导者，在商场上绝对是一位精明的领导者，这样的领导者也能让自己的企业发展壮大，甚至不是那些只求物质不求精神富足的人能够超越的。

爱你的摩根爸爸

小贴士：

妥善地分配时间平衡自己的生活是我们人生的必修课，但这种愿望对于很多人来说十分奢侈，因此，我们要学会打破这个困局，合理地安排自己的时间，让这种生活不再成为奢侈，成为人们随手可得的必需品。作为家长我们要达到目标必须做好以下几点：

1.以身作则，合理安排自己的时间，让自己的生活变得充实有趣；

2.多让孩子们读书，让孩子们认识到读书是开阔自己视野的好方式；

3.有时间的话多让孩子们亲近大自然，并在大自然中不断锻炼他们的好奇心，激发他们的创造力；

4.经济允许的时候，多带孩子外出旅行，让他们感受不同的民风、文化，不断地扩充他们的视野；

5.引导孩子合理安排自己的时间，并让他们明白合理地调配时间是获得幸福生活的重要保障。

作为孩子应该要做到以下几点：

1.主动安排自己的时间，让自己的时间充实、有效率；

2.除了学习书本知识外，还要多看课外书，让自己从书本中学习这个社会的方方面面，让自己的心智从读书中不断成熟；

3.尽量安排时间与朋友们交往，让自己在与人交往中学习分享；

4.主动与父母进行交谈，可以多说说你最近正在进行和正在准备做的事；

5.尽情享受外出的机会，并不断地扩展自己的视野。

第 10 课 / 保持谦虚和有爱心
——摩根写给孩子的第 20 封信

> 课前引：我们每天都要和形形色色的人打交道，虽然我们不能要求自己待人接物要面面俱到，但至少要保持谦虚和有爱心，不要因为自己不愿意、不喜欢就消极地处理人与人之间的关系，这将不利于自己和企业的发展。

我的儿子约翰：

最近发现你与其他行业的朋友相处得不是很好。我没有批评你的意思，我也承认你是一个十分有智慧的人，能力出众。但商场如战场，我们不能树敌太多，否则就等于自掘坟墓。

在商场中，竞争十分激烈，每个人都想成为一个行业的霸主，因此力争上游，不断为自己的企业发展壮大奋斗。但扩大自己事业的规模不是一种盲目的行动，必须根据客观需要进行扩张。出气式的扩张方式很危险，它让我们只看到企业的整体规模变得肥大，就像一个本来没有多少脂肪健康的人，但过分地摄取食物，让自己的身体增加了很多油脂，最后不但加重了肠胃的负担，而且高血压、血脂高等疾病就会汹涌而至，让你有点措手不及。我们切不可使健康运行的企业因为盲目的扩张而患上"高血压"、"血脂高"等疾病，这只会让我们越来越头痛，甚至亲手毁掉自己不容易得来的成果。

另外，力的作用是相互的，如果你对自己的竞争对手进行打压，他们也不会被动地接受，一定会想方设法地为自己找出生路，一旦他们联合起来，力量是非常强大的。孤军作战的人永远都是最辛苦、最难堪的。你何必亲手把自己推入这种境地，让自己四面受敌。所以，我认为一个人如果足够虚心和自信，他一定不会理会别人对自己的打击，一定会一笑置之，甚至觉得那些人的行为真是十分幼稚。如果你发怒就中计了，我们何必坠入别人为我们设计的圈套。

约翰，由于你身处高位，因此很少会有人能够勇敢地向你提出建议，或者大声说出："你这样做是错误的，是主观武断的。"你是不是没有听到过任何人对你说这样的话。因此，一个成功的领导人无时无刻都要保持谦虚谨慎的态度，不要被自己的情绪左右自己的行为。无论我们多么愤怒，也要努力压制，这才不会被怒火蒙蔽了双眼，让自己做出错误的行动。

你之所以能够成为一个领导者，这与你的能力分不开，但不能因为自己拥有比别人高一点点的才能就蔑视别人的劳动。每个人都有他生存的价值，我们必须要虚心地听取他的方案，从中发现亮点，然后在此基础上发挥自己的创造力，让这个亮点发光发亮，这样我们才能更好地发展企业。没有一个企业的成长壮大是领导者一个人的功劳，而是企业上上下下所有员工力量的集合。

另外，作为一个领导者还要善于听取别人的意见，不要因为别人没有把道理说到"点"上就对别人加以诟病，这只会造成企业中的很多人"不敢言"。很多灵感都是在听取别人的意见时突发出现的，无论一个人说的话多么普通，只要细心分析，你也能从这些话语中提炼出精品。这些精品也是企业发展壮大的一点点力量，不要忽视这种力量，正所谓积少成多，就是这个道理。

虚心请教能为我们带来不菲的价值，就像我们到一个企业参观，发现他们的经营理念很值得学习，而且企业文化很好，这时就会触发我们的好奇心，想从别人身上学习。如果你用命令蔑视式的语调向别人请教，你认为别人会把这些知识都传授与你吗？相信不会，但如果你用虚心请教的方式向别人讨教，相信只要无关机密别人也会合盘托出，让你把这些知识变为己有。

又像你研究了一个新产品，但不知道定价多少才合适，因为价格通常是决定产品销量的重要因素，如果定价低了会觉得降低产品的价值，如果定价高了会造成滞销，最后得不偿失。这个时候你大可跑到市场进行询价，但必须保持谦虚，不要用自负的语气向别人询问有关这方面的问题，因为这很容易得罪别人。如果你能谦虚有礼地对别人进行询问，别人也会为你提供一个比较中肯的价格建议。这比你自己暗中进行调查研究节省了不少的时间，何乐而不为。

所以，我们要学会根据环境、条件保持谦虚的态度，让别人感受到我们的谦逊，放下对我们的成见和戒心，这将为我们学习知识和获取经验提供了良好的第一印象。很少有人能够拒绝别人的虚心请教，人们对于谦虚的人总是很喜欢。

约翰，作为领导者除了保持谦虚，还要有爱心。爱心是大公无私的体现，我们要时时刻刻谨记这一点，这才会让我们不致被私心蒙蔽，做出错误的行为和决定。

我们作为一名领导人，每天都要和自己的员工打交道，但怎么做才能让自己的员工心悦诚服地为自己的企业服务，这就需要我们的爱心。每个人都没有义务为任何人做任何事，他们都是独立的个体，每个人都有自己的思想和行为。我们总不能像奴隶一样对待他们，这不利于人心的归顺，甚至会引起民愤。因此，作为领导人必须明白，人心所向才是成功所向。

为此，我希望必要时你能站在员工的角度想问题，并要严格要求自己，不要以自己的中心，只顾自己的感受而忽略别人的感受，每个人都渴望受到尊重。

约翰，一个懂得尊重别人的人是一个非常严谨的人，是一个对自己要求严格的人。他们想事情从来都不会被自己的主观情绪左右，总是能很好地根据客观事实作出决定，让企业的发展遵循客观真理，并且他们的胸怀十分宽广，总能接纳形形色色的建议，从来不会随意蔑视他人的想法，十分尊重他人。因此，在其下属工作的员工都推心置腹地为他提供服务，而且经常能发挥自己的主观能动性，站在企业的角度想问题，就像企业就是他的家一样，无论什么事情都是集体利益高于个人利益，企业的发展就是他们的发展。这就为企业的持续发展提供了强大的生命力，没有多少竞争者能把这样的企业打败，因为它们的凝聚力让别人生畏，在行业中迸发出来的力量十分巨大、十分耀眼。

如果你能够做到这样，你就间接地完成了企业在社会生活中的使命。现代社会是一个文明社会，它要求每个人都能实现自己的价值，扮演好自己的角色。因为你的爱心，让我们的企业站在潮流的高端，让企业中的每个人都受到尊重，从而更好地发挥自己的才干。表现上为企业谋得了财富，实际上也为社会的进步提供了一份巨大的力量。每个人都是人类文明的创造者，能否顺利地进行创造就需要一个有利的环境，而你就为他们创造了这样的环境。使他们在工作中实现了自己的价值，发挥了自己的智慧，甚至因为智慧的运用和价值的创造让他们感到精神上的快乐、富足。

但爱心不是盲目的，它要求我们要学会奖罚分明，不能包庇任何错误的行为，也不能对别人的功劳视而不见。因此，作为一名优秀的领导人，我们必须要有锐利的眼光，客观地判定事情的是非曲直，只有这样，我们才能成为一个受人尊重和爱戴的领导者，才能让我们的员工心悦诚服地为我们服务，为企业的发展壮大不断地提供积极性的力量。

约翰，过分自负和喜欢炫耀的人，成功从来都不会发生在这种人身上，这是我多年的经验总结。我们必须保持谦虚，必须有爱心，这样才能让我们离成功越来越近。因为自负的人眼中只有自己，从来都看不到他人，甚至认为他人嫉妒自己。但过于目空一切最后只会让自己遍体鳞伤，甚至导致自己的人生失败。作为一个聪明的人，他们从来都知道自负和喜欢炫耀是导致自己失败的重要原因，因此从来都会有意识地遏制这些情绪，让这些情绪从自己的身上消失。

保持谦虚和有爱心是事业成功的前提条件，单靠自己的力量获得的成功是十分渺小的，但如果能发挥你的才干，让别人配合你的行动，那么你获得的成功将会是十分巨大的，不是其他人能够轻易企及的。

爱你的摩根爸爸

小贴士：

保持谦虚和有爱心是我们每个人都追求的良好品格，但能够做到的人却少之又少。但我们总不能把这个作为借口吧。每个人都有自己独立的思想，没必要被别人的话语影响自己的行为，只要是正确的事情，我们就应该用尽全力去争取，直至把它纳为己有。在这样的追求中，才能体现自己的价值。作为家长，都有望子成龙、望女成凤的意愿，但怎样才能把他们变成龙凤，不妨先从培养他们拥有爱心和谦虚开始吧。具体要做到以下几点：

1.当发现孩子具有目空一切的行为时要及时加以引导，让他们明白个中的利弊，从而及时地改变自己的行为；

2.教导孩子们时刻要保持谦虚的心，因为在人际交往中，这是必备的素质；

3.培养孩子们的爱心，但不能盲目，教他们弄清什么是有益的行为，什么是无益的行为；

4.宽广的胸怀能让我们减少不少烦恼，培养孩子拥有它，让它成为习惯。

作为孩子应该要做到以下几点：

1.杜绝自己拥有炫耀自负的心态，学会保持谦虚；

2.爱心需要视情况而定，不要盲目地展现爱心；

3.学会换位思考，这样才能明白别人心中所想，才会让自己杜绝自私的行为；

4.善于聆听，不随意否定别人的话语，每个人都有表达自己意见的权利，无分对错。

第 11 课 / 用正确的态度对待批评
——摩根写给孩子的第 21 封信

  课前引：每个人都会面对别人的批评，但我们要学会用正确的态度对待批评。因为有的批评是善意的，有的批评是恶意的，因此我们要学会区分，不要轻易地被恶意的批评左右我们前进的步伐，也不要因为善意的批评而心怀怨恨。

我的儿子约翰：

  自从上周被哈里当众批评后，你的情绪一直很低落，我有点担心，因为很怕你认为这很伤自尊而就此停止前进的步伐，并停留很久。

  被批评是一件很平常的事，我们每个人都会被别人批评，每个人都会做错事。但要学会区分批评的善恶意。因为有的人之所以会批评你有时只是出于对你的嫉妒，甚至想打压你。据我的经验统计，我认为这个世上只有 10% 的批评是善意和发自内心地希望你好的。而其他的都是别人的恶作剧，他们只是想运用心理战术罢了。因为没有人喜欢别人否定自己的行为，总认为自己的行为很完美，甚至认为自己是一个没有瑕疵的人，因此不应也不会听到任何人对自己进行批评。一旦被批评当事人就会怀疑自己是不是真这样了，他说的全部都是事实吗？甚至自尊心强的人会觉得是一种打击，是一种对自己的否定。

但我们生活在社会中，总会遇到各种各样的事情，有些事情并不是我们的意志可以左右的，别人喜欢说什么是他的自由，至于用怎样的心态对待这些事情则是我们的自由。

你认真分析一下为什么哈里会在这样场合批评你，他是善意还是恶意。我感觉恶意的成分多一点，因为善意对你批评的人很少会在公共场合对你进行批评，因为他深知这样做的后果。而哈里却很好地运用了这一点，让你在公共场合被批评，引起别人的注意，然后让其他人对你的人品产生怀疑。这真有恶意打击之嫌。

约翰，细心分析一下你最近做了什么得罪他的事情，或许你能找到答案。然后调整自己的心态吧，这根本不算什么，在我看来反而是好事，至少能发现竟然有人嫉妒你，这也是对你能力的一种肯定。况且人无完人，每个人或多或少都有这样那样的缺点，我们又何必与他一般见识，让这些批评影响自己的生活和情绪。

约翰，我承认批评的杀伤力有时很厉害，但它能不能伤及我们还要取决于我们的心态。心态决定你面对事情的态度，如果你把事情无限放大它就会被无限放大，如果你把它无限缩小它就会无限缩小，一切都取决于我们自己。对于那些具有建设性的批评，我们要虚心接受，不断地改善自己的行为，让自己变得完美，但对于那些恶意的批评，我们大可一笑置之，甚至视而不见，这才有利于我们的发展。

作为一个领导者，我们有批评下属的时候，但我们不能随意就说出打击别人的话语，一定要深思熟虑，而且要讲究表达方式，这才不会引起别人的不满，虚心接受。但每个人都是一个独立的个体，性情不会相似，我们要学会视情况而定，不能草率地进行。像一个员工做事很有积极性，但性格有点大大咧咧，如果他足够细心，没犯错误，我们大可视而不见，甚至或许正因为他这种人存在，办公的氛围才变得活跃，一旦他离开这个职位，相信别人也会感觉少了点什么。又如有一个人的情绪十分消极，整天都觉得薪水少，每天都在办公室唉声叹气，甚至是肆无忌惮地说什么"命苦"之类的话语，我认为这种员工是要不得的，他严重影响了其他员工的工作情绪，导致工作效率低下，公司业绩下降。这样的人用批评的方式相信也不能解决，最好是直接解雇。

  聪明的领导者是一个熟知员工性格的人，他能针对不同的人采取不同的措施，并善于挖掘他们的优点为公司服务，创新收益。但我们不能盲目地助长他们自以为是的作风，该批评的时候就要立即批评，该赞扬的时候就立即赞扬。不要像某些公司那样，说是"年终评价"甚至把这份评价与员工们的绩效挂钩。我十分不同意这种做法，一年的时间说长不长，但说短也不短，时间就是金钱，如果等到年终的时候才对别人的错误行为加以批评，只能让他以后做得更好，却不能把失去的时间都弥补回来，这样的做法可以说是十分愚蠢。况且一年后才一次性地把别人的不足说出来这有点欠缺人性，对别人来说或许是一种伤害。因为谁也不愿意自己在别人心中全都是缺点，而且还要那么多。我喜欢对他们进行小批评或小奖励，不喜欢一次说太多，我希望他们能够随时随地地改掉缺点，成为我们需要的人才，也不想他因为自尊心受挫而突然要辞职离开。

  所以一个聪明的领导者，虽然不能面面俱到地为员工着想，但至少要有点人性化，只要是一个具有人性化的企业，人们都喜欢为他们服务，因为谁都想受到别人的尊重，认同自己的能力，而不是感觉他在"泼冷水"。另外，聪明的领导者从不会胡言乱语，即使是批评一个人都是经过深思熟虑，甚至会有建设性的建议的，不是像鸡蛋里挑骨头似的把要整个鸡蛋灭掉。

  约翰，我们还是回归你的问题吧，希望你能够正确辨别哈里的批评是恶意还是善意。如果是善意我们虚心接受，改善行为。但如果是恶意，我们没必要被别人的这些不符合客观实际的话语左右我们的行为，也没必要为此感到痛苦。时间能证明一切，让时间把真相告诉大家，我们也没必要解释些什么。

爱你的摩根爸爸

小贴士：

被别人批评是我们一定会遇到的事情，但我们要学会用正确的心态对待它们，不能让那些恶意的批评左右我们的思绪，积极地面对批评是一种勇敢的行为，只要我们用积极的态度对待它，就能看清它存在的真面目，如果真有其事，我们虚心承认改正，如果不过是别人对我们的打击，我们大可直接飘过。作为家长我们要规范自己的行为，不随意批评孩子，必须根据客观事实进行，这才容易被孩子们接受，具体做到以下几点：

1.控制自己的情绪，当自己处于负面情绪时，要学会控制自己的情绪，避免无故迁怒于孩子；

2.教会孩子正确区分别人的批评，并培养他们用积极的态度对待批评；

3.批评孩子前一定要深思熟虑，不要因为错误的表达对孩子造成伤害。

作为孩子应要做到以下几点：

1.当别人善意批评自己时，要虚心接受，改善自己的行为；

2.面对别人的恶意批评，我们要保持沉默，因为明事理者一定会知道谁是谁非。况且我们很难要求每个人都能理解自己、明白自己；

3.谨记上一条。

第 12 课 / 让员工拥有成就感
——摩根写给孩子的第 22 封信

课前引：当我们接受一个工作时，难道仅仅因为它薪酬高吗？相信很多人会对此进行否定。人类追求的东西有很多，但精神上的追求比物质上的追求对于大多数人来说更具吸引力。这也是"人"之所以称为"人"的重要原因。

我的儿子约翰：

米勒先生竟然被你解雇了，这让我吃惊不小。同时我也认清了一个事实，就是你没有辨别出什么才是对公司有价值的员工能力。这是一个很严重的缺点，因此我希望你能重视这个问题，否则你将会是一名不合格的领导者。

作为一个领导者我们必须要学会辨别谁是对公司有价值的员工，这样才能知人善用，让他发挥最大的能力，为公司创造最高的效益。米勒先生是一名称职的员工，尽职尽责并能为公司创造效益，是一个不可多得的人才。我想或许是因为你不能接受他的怪癖，所以才做出了这样的举动。

约翰，你是一个聪明的人，应该知道每个人都是一个独立的个体，而且是独一无二的。既然这个世上每个人都有他的特质，是一种普遍的现象，我们为什么还要吹毛求疵，不能容忍别人的个性或专属于他的怪癖，只要这种个性或怪癖不影响他工作的效率，不影响他工作的业绩，也不影响他工作的热情，那我们为什么不能睁一眼闭一眼呢。

平时你和别人的交往难道经常要别人适应你吗？相信不是，我们每个人都尊重别人的个性，尊重别人的行为，这样才促使我们和平共处。只有能够做到这一点，我们才能发掘相互的共同点，才能运用这些共同点为自己创造精彩。

每个企业都是一个追求利润最大化的单位，但作为一个新时代的领导者如果只关注企业的利益，不考虑员工的福利，那么这个企业想要走得长久相信是一件很困难的事情。每个企业都需要属于自己领域的人才，但如果这个企业不懂得关心和尊重这些员工，还像以前那样摆弄着高姿态，那么相信员工认为自己得不到尊重，或得不到自己想要的成就，那么一定会选择离开。他们的离开将会是企业的重大损失，如果企业主不能认识到这一点，那么单凭他自己的能力相信也不能把这个企业顺利支撑下去。况且现代社会是自由选择的社会，每个人都有自己选择的权利，很多人都抱着东家不打打西家的念头，这也是企业容易流失人才的原因。作为一个优秀的领导者，我们必须要学会尊重和关心员工，并要站在员工的角度想问题，根据自己的能力满足员工的需求，只有这样才能留住人才，为企业减少损失。据调查统计显示，员工们最关注的是为企业服务的成就感。如果他在一个企业得不到领导的重视，甚至自己的能力被上司否定，那么他的精神就会感觉不满足，甚至严重影响工作的效率以及其才能的发挥。因此，不要主观地认为每个人都是为了金钱而工作，在很多企业，他们的薪酬待遇都十分不错，但人员流动性仍然很高，甚至影响企业的正常运转。所以，作为一位优秀的领导者，一定要懂得抓住关键性的问题，然后根据关键问题采取解决方案，这样才能让自己的企业保持人员的稳定性，并让员工安心、放心，有信心为企业服务，不断地在服务的过程中实现自己的价值，获得自己想要追求的东西。

另外，优秀的领导者还能及时地发现员工的优点及为企业做出的成绩，并对员工进行称赞和褒奖，这样员工们才认为自己的能力得到肯定，才会乐此不疲地为企业服务。因此，称赞一个员工的力量是无比强大的，它只需要我们动一动自己的口就能获得用金钱也买不来的服务，而且这些服务具有持久性，这将为企业不断地创造收益。当然，如果要达到以上的效果，称赞前一定要深思熟虑，讲究技巧，这样才能引发称赞带来的积极效果。

面对有缺点的员工，我们不能固执地予以否定，应该细心观察、调查。就像米勒先生这个拥有怪癖的人。我一开始也对他的这些行为感到很反感，但理智克制了我不满的情绪。于是我细心观察，发现每个人都有他们的优缺点，我们只需关注他们的缺点会不会损害公司的利益，会不会让我们蒙受损失，如果一旦发现答案是否定，我们大可对他们的这些缺点视而不见，甚至学会接纳他们的这些缺点，那么我们就不会锱铢必较，过分苛求。这对员工对自己都是十分有好处的。毕竟我们是一种合作的关系，这种关系关系到企业的生死存亡，如果没有他们的存在，我们想要获得发展是十分困难的。团队的精神是个体精神十分难以逾越的力量，我们必须清楚地认识到这一点，才能让自己摆脱作茧自缚的缺点，毕竟没有人能要求一个拥有自己想法和价值观的人无条件地顺从自己、听命自己。因此，学会尊重员工，关爱员工是一个企业领导者必备的素质。

约翰，我们要学会对员工进行科学的管理，学会根据员工的优缺点安排合适的职务，这样才能让员工发挥自己的创造力，提高工作效率，为企业的发展和壮大做贡献。绝不能根据自己的喜好和观念对员工的能力加以否定。我希望你慎重考虑一下辞退米勒先生这个事情。我和他的交情不是很好，也没有为他说话的意思，但这个老员工服务公司10年了，我暂时没发现他做了什么影响公司效益和运转的事情，另外，也没有听见过其他人对他有意见，甚至投诉他。因此，我认为，不能单纯像你说的他有怪癖就把他辞退，这是极其不人道的。难道你见不得其他人的怪癖也要把他辞退吗？如果真这样，我认为自己需要慎重考虑一下你是否适合当一名合格的领导者。优秀的领导者是一名能够客观评价员工好坏的人，绝不会因为自己一时的好恶而采取非理性的行动，导致公司蒙受损失。

说会蒙受损失不是一件子虚乌有的事情，不知道你有没有留意过公司的员工培训费，还有每个职位的员工需要接受培训的时间。如果你能够注意到这一点，那么从成本的角度考虑你也应该变得理智和明智一点，因为这笔费用占据了成本不少的份额，我经常都在这个领域思考怎样才能节省开支，把投放在这里的资金投资到公司的其他方面，相信也会得到很好的收益。另外，我也希望你反思一下这个方面的问题。如果你对刚进公司的新员工进行绩效考核我认为是一个很正常的现象，毕竟每个员工加入企业都需要一个磨合期，但能否顺利通过磨合期就需要对员工进行考核。如果你把这些措施运用在老员工身上也未尝不可，但万一发现他们在你的领导下业绩下降，绩效低下，那么你就需要自我反省一下，究竟是不是你的领导方法出了问题，导致产生这样的结果。毕竟每个能成为企业老员工的人绝对是对企业有用的人，否则辞退他们也不是你这个新上任领导的事情了，而是上一任领导的事情，难道说上一任领导不能知人善任吗？所以，请你客观反思一下自己的行为，只有这样，你才能认清问题的根源。

约翰，通过米勒先生的这个事情，发现你作为领导者的能力有所欠缺，但希望你能虚心接受，毕竟你的责任非常重，不要因为一时的错误而对自己的能力进行否定，一个优秀的人从来都喜欢别人对自己进行批评和指责，只要符合客观事实他们会毫不犹豫地接受和思考，并通过实际行动让别人看到他的成长。我也希望你能这样做，毕竟我对你还是充满信心的，否则你也很难坐上现在这个位置。

约翰，对员工的尊重和关爱就是对自己的尊重和关爱，一定要清楚地认识到这一点，这才能让你知人善任，充分发挥员工的主观能动性和创造性，利用团队的力量，共创辉煌。

爱你的摩根爸爸

小贴士：

这个世界没有两个相同的人，也没有两片相同的树叶，我们要学会接纳别人的优点和缺点，不要因为自己的主观好恶来对别人进行否定。我们是否有想过，如果别人都用同样的方式对待我们，那么这个世界的人还能和谐共处吗？还能成为朋友、成为亲人、成为伙伴吗？因此，学会理解和接纳别人无伤大雅的行为，这样才能让自己不会错失与人和平交往的机会。作为家长要教导孩子接纳他们看似"怪癖"的行为，只有这样才能让孩子用宽广的胸怀接受这个社会的"另类"现象，才能把这些现象变成见怪不怪的现象，具体应做到以下几点：

1.学会引导孩子接受别人的"怪癖"，不因自己的好恶对这些"怪癖"进行评价；

2.学会引导孩子客观地评价别人，尊重别人，关爱别人；

3.学会引导孩子社会生活是一个团体生活，不能因为自己的好恶而拒绝与他人合作。

作为孩子应该做到以下几点：

1.认识到每个人都有自己的思想、行为习惯和处事方式，不把自己的意志强加在别人身上；

2.学会尊重他人的人才能顺利与人交往；

3.不要因为自己的主观好恶对别人进行打击，这是一种十分没有礼貌的行为。

第13课 / 管理好你的钱袋
——摩根写给孩子的第25封信

> 课前引：现代的生活多姿多彩，让不少的年轻人为了追逐物质上的荣耀不得不把自己赚取到的金钱都花光，甚至前卫地学会提前透支，这样的行为日复一日将会使自己没有安全感，甚至遇到突发事件时会手足无措。

我的儿子约翰：

你向财务借支业务经费500美元的举动让我感到很吃惊，我也能从这个举动中获得重要的信息，就是你没有存款，也很可能是现在人们所说的"月光族"。对于像你这样对待金钱的人，很难想象你能把公司的财务收支控制得那么好，每个月的财务报表看上去都十分光鲜。但创造这样收益的人竟然是一个需要借支经费的人，实在是让人太出乎意料。我甚至怀疑自己是不是在做梦。

我经常从税务局的朋友中听到像你这样的人的事例，你们使用金钱从来都不会制定计划，只要兴之所至，能倾尽所有去购买一些不是很重要的东西，最后导致自己的钱袋十分干瘪，甚至显得有点苍老。当自己不能支付个人所得税的时候，又跑到税务局询问能否延迟缴税之类的话语，这是不是有点让人觉得哭笑不得。对于你们的这些行为我认为是对自己极其不负责任的行为，特别像你这种，自己又不是孤身一人，上有老下有幼，却竟然使自己在金钱上失去理智。你是怎么把公司的钱袋管得这么好的，为什么不借鉴一下，从而改善自己的经济状况。

我们的钱袋就像公司的银行账户，我们必须要学会利用有限的资金进行设计预算计划。每个月都有固定的支出，如水费、电费、煤气费、伙食费、房租等这些费用。我们把这些都写在一张清单上，然后看看能有多少的剩余，然后学会对这些剩余进行规划，不要挥霍无度，否则只会让自己到月底的时候又再"月光光"。

我们生活在这个世上总是会遭遇各种各样的事情，而且有很多事情需要金钱给予我们帮助，但如果你身无分文，你认为自己凭什么能够安全渡过难关，难道说天上会掉馅饼吗？相信有这种想法的人是十分不成熟的，他们应该是那种没有经历过什么重大挫折的纨绔子弟。总以为自己现在身体健康又年轻，没必要杞人忧天，及时行乐才是眼下最重要的事情。说到这里你或许会觉得很不安，我说的人不就是像你这样的人吗？既然明白，我希望你能调整自己的金钱观，这是对自己和别人最负责任的行为。

上文已经说过要学会制定预算计划，那么剩余的金钱应该怎么处理呢？我认为可以从两方面着手，一是储蓄起来，二是用来投资。储蓄是最安全的保本做法，而投资也有一定的风险，这也要求我们要学习更多的知识。但对于你现时的状况，我认为储蓄比较适合，因为你现在是零存款。

我也说过生活中经常会碰到用钱的情况，我们必须学会为突发情况准备一笔钱，最好是能够解决半年或以上生活必需的钱，这样，即使真是遭遇突发的事情，我们也能够处事不惊，十分镇定地应对。

另外，要限制自己申请信用卡的数量。信用卡虽然为我们的生活提供了便捷，但对于一个没有自制力的人来说就像一个无底洞，只要看到喜欢的物品就会毫不犹豫地进行购买，当要向银行还钱的时候却苦恼自己没有现金没有存款，最后债台高筑，甚至导致自己破产。这是你想要看到的景象吗？相信不是，但怎样才能避免自己被信用卡套住，这就需要一点小技巧，我认为可以这样做：只申请一张信用卡以备不时之需，把多余的卡都销掉。购物多用现金，这样你就能明显感到钱包的重量越来越轻，从而有效压制自己的消费欲望。只要强制自己实施这个计划两个月就能看到效果，这时你或许会觉得原来省钱是一件这么容易的事情。事实上，这的确不是什么难事，我们之所以变成"月光族"是因为没有压制自己的消费欲望，总认为信用卡十分方便，只要一刷、签名就能完成交易，一点也不觉得心痛，甚至觉得十分过瘾。当要向银行还款时又觉得十分痛苦，甚至为自己的行为后悔。但这个世界有后悔这回事吗？没有，所有卡奴都是这样炼成的。

约翰，好好规划一下自己的收入吧，不要做让自己感到后悔的事情，况且你本来的压力就不少，何必因为自己对金钱的错误使用习惯而让自己的压力无限增大呢。这不是明智之举，我们必须要增强自己的自制力，让金钱变成自己的奴隶。

既然已经知道自己每月的固定开支，我们不妨先强制自己储蓄一段时间，例如每月固定储蓄100美元，然后把这100美元列入固定开支的行列，刚开始肯定感觉十分痛苦，但坚持下来的时候你会觉得自己的做法十分正确，而且会发现即使减少不必要的消费也没有对自己的生活造成影响，甚至因为存款数量的增加感到满足，并以自己的行为为荣。

当储蓄到一定金额的时候我们可以把这些存款用来投资，但投资什么成为很重要的课题。而凭借我多年的经验，我认为最好用来置业，这样不但为我们节省租金，而且也让我们的钱财不断增值。购买房子可以当成是我们储蓄金钱的一种重要方式，而且这种方式比我们存在银行获得更高的利息，是一种既保值又增值的安全投资方式。当然，我们要学会量力而行，不能自以为是地为了购买房子把所有的储蓄都掏空，这样做是一种很危险的行为。生活每天都在变化着，我们要为自己的生活提供一份保障，这才能让我们在突发事件面前不至于有心无力。

当我们置业后还有剩余的金钱，那么我们可以用这些金钱为自己购买一份人寿保险。因为我们是一家之长，是整个家庭的主要收入来源，我们必须学会保护自己，才能更好地保护家人。这只是为自己购买的一份保障，即使我们一生平安，但我认为这是一个不能忽视的计划，就像我现在很喜欢对你进行教育一样，我也不怕自己啰唆，因为我怕有一天自己突然起不来，即使想说也不能说了。这不是一种消极的行为，我不是辩解，而是为了让你成熟起来而进行的行为。而购买人寿保险即使以后你没发生什么事也不要紧，因为现在有很多保险产品都是保本的，我们只是损失一点点银行利息换来一份能保障亲人至少两年生活无忧的保障，这何乐而不为。

当房子有了，保险有了，我们还是有剩余的钱的话，大可投资股票、债券等。但你要谨记一条，投资这两方面的钱财一定要是闲余的，不是向别人借取的。因为股市有风险，投资须谨慎，我们在这方面的知识也不是很专业，因此必须谨慎再谨慎，不要亏钱的时候再后悔。但也有一种折中的办法就是投资基金，基金有职业的管理人员，而且风险不算很大，基金成本也不算很高。当然它的风险这么少，收益也不会很多，有时还不如银行利息，至于你要怎么选择就见仁见智了。

约翰，或许你会说，难道赚取金钱就是为了职业投资，吃饭睡觉吗？难道外出娱乐也不可以吗？这也太不人道了。我想说，你可以，但不能过度，毕竟我们作为人，除了注重物质享受外，也很注重精神，也不能变成守财奴。因此，适度的消费是十分理智的行为，但我不主张过度地进行，毕竟一个人的自制力是很容易被破坏的，如果一旦沉浸在物欲里，相信他很难抽身，如果要抽身，相信又要把金钱计划再做一次。但如果我们第一次用了十年的时间，难道又要奋斗十年吗？人生有多少个十年，这是我们必须扪心自问的问题。况且随着年龄的增大，我们的精力变得很有限，第二次用十年就能完成吗？这也是我们要考虑的问题，为避免自己的历史在重复中度过，我们还是理智一点，节制一点，这对我们是十分有利的。

约翰，在我们国家有很多人在你这样的年纪就考虑退休生活问题了，他们到了 60 岁的时候会卖掉现在的房子，然后购买一间容易清理，并能满足简单生活的房子就算了。原因很简单，孩子们都长大了，有自己的生活，这样就不用太多的房间，也不用太大的客厅。另外，毕竟劳动了半个世纪有多，他们还是希望自己能够到外面的世界走走，增长自己的见闻，为自己的退休生活增添几分色彩。另外，他们还会计划一些年轻时没有时间去做或学习的事情，让自己的退休生活十分充实。但这些都靠什么来支撑，难道子女会给自己这笔经费吗？聪明的人从来都不会依赖子女，只要不让自己成为子女的负担，自己就算是最快乐的了。因此他们都靠自己年轻时候的积累，不卑不亢，过着自给自足的生活。

约翰，说了这么多，你应该知道自己这次领到工资后应该怎么做了吧。这次向公司借支的 500 美元按年息两分计算，并且每周要还 50 美元，这些都从你的工资扣。我现在也能想象你的表情，但不要认为我这个做父亲的不近人情，而且借支也实属正常行为，但作为我儿子，作为这家公司的最高领导人，我认为你还需要吃一点苦果。

约翰，管理好自己的钱包就是管理好自己的人生，这是我和你共勉的话语。

爱你的摩根爸爸

🔹 **小贴士**：

管理好自己的钱包就是管理好自己的人生，我们每个人都应该对自己的人生负责任，因此不妨从管理钱包开始，这样我们才能感觉安全，才能知道生命的意义是在于准备、是在于能够拿得出与困境对抗的资本。因此，作为家长，我们要清楚地知道管理好钱袋的重要性，并要让孩子们学会理财，这样，我们才有能力为自己负责，为家人负责，具体应该要做到以下几点：

1.从小引导孩子明白储蓄的重要性，让他们学会为自己的欲望负责；

2.适当的时候教导孩子合理分配零用钱，把零用钱都用在比较有意义的事情上；

3.必要时让孩子们接触一下会计等财务知识，让他们学会珍惜金钱；

4.理财知识是当今社会的必备知识，要适时教导他们这方面的知识。

作为孩子应该要做到以下几点：

1.提高自律性，不乱花一分钱，每分钱都要用到实处；

2.学会记账，弄清每一分钱的去向；

3.条件允许的话学习一些会计知识和理财知识，让自己对这些知识有一个概念；

4.定期储蓄自己的零用钱，并合理安排这部分闲余零用钱。

第14课 / 保持独立自信
——摩根写给孩子的第32封信

> 课前引：每个父母为了孩子能够顺利成长都会在适当的时候放手，毕竟自己会有年纪老迈甚至和死亡之神交谈的一天，因此让孩子们保持独立自信是每个父母必修的课题，只有这样，孩子们才能独自面对风雨，收获属于自己的那份果实。

我的儿子约翰：

听到你说希望我留任，我很高兴，但爸爸已经老了，是时候放手了。所以我希望你不要再说挽留我的话语，这只会让我更伤感。毕竟这个企业是由我一手打造的，在这个公司的每个角落都有我的足迹，这也十分让我不舍。但我还是希望自己能在此时退下来，因为适当地给予孩子锻炼的机会，是每个父母必须修炼的课程。

约翰，刚开始我还是会以一个普通职员的身份留在公司，但没有领导权，我只是希望能让我有一个适应的过程，如果让我一下子离开这里相信我会感到很低落。毕竟每天回来这个大家庭已经是我几十年的习惯，很难在一朝一夕间改变，希望你能够明白这一点。

你之所以挽留我或许还有一个原因吧，就是你要全面掌管公司的大小事务了，这不免感到有很大的压力，毕竟你的一举一动都决定企业的兴衰，也决定企业的成果，你会成为很多人的监督对象，也成为很多人的注意对象，这会让你感到你不再是一个只为自己负责的人，而是背负着数千数万人的利益的人。为此你担心自己不能顺利完成这个任务，想让我在旁边对你进行指导，毕竟我在这方面有几十年的经验。但我想说，如果你这样想就错了。我希望你能够自信一点，你能坐上现在这个位置不仅仅因为你是我的儿子，而是因为你确实有领导这个企业向前发展的能力。我还不至于盲目到把自己的成果交给一个没有能力的人。

纵观我国大多数的家族企业，继承人是否拥有统领这个企业的能力决定这个企业能否在激烈的社会竞争中世世代代地传承下去，因此谁能够成为继承人是一件需要深思熟虑的事情，不是单纯地抱有肥水不流外人田的想法就足够的，抱有这样想法的领导者不是一个有智慧的领导者，即使上天赐予他不死的特权他也不能把这个企业生存的时间拉长。

作为一个有智慧的领导人应该做到以下两点才能让企业长盛不衰。第一，不能固执和自命不凡。有很多人因为自己创造了庞大的企业，为社会作了很大的贡献就自命不凡地认为没有人能够超越他的能力，甚至认为这个企业只要脱离了他，就会衰亡，即使自己连公司的地址都忘记了还不肯把领导权放下，一直霸占着领导权。因此，固执和自命不凡是企业长盛不衰的大敌，一旦发现自己具有这样的缺点我们就要果断放弃。第二，一旦选定了继承人就相信他，因为能被你选中的人，绝对不是等闲之辈。但很多领导者都不能认识到这一点，即使有了继承人还继续参与公司的事务，整天认为继承人的计划不周全然后果断地加以否定，最后让继承人认为自己什么都做不好，失去了自信，甚至变成了前任领导人的木偶，整天都被他摆弄着，没有自己的一点思想。因此，只要选定了继承人就要充分相信他，无论他做什么都一定会站在公司的立场想问题，总不会出卖公司的利益吧。况且很多继承人其实是很有能力的，而且能够果断创新，喜欢研究新事物，凡对企业发展有帮助的事情他们都会组织部下进行研究讨论然后做出方案，测试方案的可行性，并予以实施。这样企业才能被灌输新鲜的血液，不停地运转，不断地为企业各个机能提供养分，长盛不衰。如果总是采用老一套，这个企业则完全没有活力可言，就像一潭死水，越来越臭。

因此，约翰，我不想成为固执、自命不凡、杞人忧天的领导人，对于留任一事是没有商量的余地的。我希望你能发挥自己的才能，让我看到你给公司作的贡献，让我们的家族企业能一代一代地传承下去，历久不衰。

约翰，如果要让一个企业一直经营下去，管理好企业的资本是一个非常重要的课题。每个企业的发展壮大都离不开资本的支持，因此如何管理好现有的资本，积累更多的资本为企业的稳定和发展做准备就需要你发挥自己的能力，不断地创造资本。作为企业的继承人，你是有这方面的能力的，毕竟我现在离开的原因也是因为发现自己不能为企业创造更多的资本，甚至有点让企业停滞不前。这时我就要果断放弃自己的职位，只有能为企业带来新的活力的人才有资格成为企业的领导者，而我在这方面的资格已显得有点能力不足了，适时地退下来才是我应该做的事情。

当然，虽然你能为企业带来活力，但知识和经验方面都显得有点贫乏，因此我给你留下了几个能帮助你的事业发展的能人。他们都是经济、财经、管理、法律等方面的专业人才，他们已经服务我多年，而且一直推心置腹地为我提供建议，让我在他们的帮助下走过一个又一个的困境，并不断地为企业创造辉煌。当你陷入困境或不能确定新计划是否对企业发展有帮助时，你大可以向他们进行咨询，他们会毫无保留地把自己的建议提供给你，让你保持理智，作出最英明的决定。而且你要学会处理和他们的关系，良好的关系是合作的前提，是推心置腹的前提，千万不要因为自己的非理智行为破坏了彼此的关系。因为他们的能力和知识综合起来是无比强大的力量，也是我们企业长盛不衰的重要参谋家，如果去失了他们就等于失去了自己的左右臂，单凭双腿，身体基本不协调，你又能走多远，希望你能尊重和关心他们，让这种关系一直保持下去。

约翰，现在和你说说父子之间的心底话，这些话语虽然有点消极，但我还是希望你能认真聆听，毕竟这是一个父亲对孩子的寄语，也是对孩子打的预防针，而且这一天总是会到来，只是时间的长短问题。

终有一天，我这个父亲会与世长辞，长眠在阴冷的土地里。但你知道这意味着什么吗？首先，你会失去依赖的人。因为作为一个父亲，我总是尽自己的能力去保护你们，希望能为你们做力所能及的事情，因此，在我还健康的时候，你根本没什么顾虑，总是做自己喜欢做的事情，不用操心家人，不用操心家庭事务，这都为你减少很多烦恼和压力。但一旦我离去，承担这个担子的人将会是谁，你是一个聪明的人一定能够知道答案。其次，我的离去一定会引起社会各界的关注，我对企业生存发展的影响力从来都没有因为我的退休而减退，而且益发会让人们把你和我比较。我不止一次听到别人评论你的处事方法和人品，但总会在说你以前附加一句"和您相比"，因此，你的一举一动都会被别人注视着，并把你的举动和我进行比较。幸好，你的能力的确十分超凡，因此，从来也没有人在我面前否定过你的能力，不过我也不知道他们是不是因为想奉承我。另外，那些银行家、投资者、员工、合作伙伴等相关的利益者都会仔细观察我离开后你的一举一动，因为他们怕自己的利益受到损害。像银行家，他们有可能害怕你没有偿还借款的能力，因此缩减贷款的金额；而那些投资者则害怕自己的分红减少，考虑要不要撤资等，因此，我的离开会给你造成巨大的压力，只要你想稍作休息或许就会引来灭顶之灾。这样说一点也不夸张，因为每个人都很自私，只要损害了自己的利益他们就会果断离开，像银行减少贷款会影响公司资金项目的顺利进行，投资者撤资会导致公司的资本减少，影响公司的抗压能力，员工们纷纷离职会严重影响公司的正常运转，等等，这些都会让你苦不堪言。因此，你一定要有完美的准备，为自己站稳脚跟，增加影响力不断地努力，只有这样，你才能撇除我的影响，创造属于自己的天下。

儿子，我还希望利用自己剩余的时间享受一下自己一直向往的生活，我有很多计划，但现时最希望实现的就是和你母亲去旅行。我们结婚几十年了，但才一起外出两次，这也让你的母亲经常埋怨我，为弥补我的过失，我想趁自己还健康的时候和她到外面走走，享受只属于我们两人的时光，相信是一件很浪漫的事情。我爱你的母亲，她是我的好内助，没有她的支持我也没有今日的成绩。

和你母亲旅行回来，我想发展一下自己的兴趣，就是做园丁，你或许觉得很可笑，我的兴趣竟然是做园丁。是的，在家里的花园种有很多我喜欢的花草，但一直都靠你母亲打理，让我在闲暇时间能够享受它的鸟语花香，但现在该由我自己打理了，希望它们能在我的打理下茁壮成长。

在离家不远的地方有一条小溪，我经常都有计划到那里钓鱼，但都变成奢侈的愿望，我希望改变这个看似很正常的活动，让自己在等待大鱼的时候享受宁静的气息、清凉的微风以及新鲜的空气。

约翰，我还有很多的退休计划，在这就不一一诉说了，只希望你能保持独立自信，迎接属于你的新挑战。

爱你的摩根爸爸

小贴士：

父母也是人，他们都有累的时候，我们不要因为自己感觉不安全就总是依赖父母，这只会让父母对我们放心不下，父母也是由孩子变成父母的，他们能用自己的能力给予我们保护，我们为什么就没有能力保护自己呢？因此，在适当的时候独立起来，自信地迎接生活的挑战，让自己不断变强，不但能保护好自己，还能保护好"未来"的孩子和现在的父母。每个人都有自己成长的课程，我们要及时地学会总结，只有这样才能让自己的能力得以提高，长硬属于自己的那对翅膀。作为父母大可把这些事情都提前告诉孩子，让他们学会独立自信。具体要做到以下几点：

1.不随意插手孩子们的事务，充分信任他们，让他们发挥自己的能力独立完成事情，并把这变成一种习惯；

2.当孩子们表现不自信时，我们可以鼓励他们尝试完成事情，然后及时对他们进行褒奖，增强他们的自信；

3.当孩子们想要依赖自己时，学会刻意进行回避，为他们创造不得不依靠自己的条件，让他们独立地完成事情；

4.在日常生活中对孩子多加引导，让他们知道凡事自己独立自信地完成是最好的。

作为孩子要做到以下几点：

1.培养自己的独立性，相信自己有能力完成事情；

2.当自己产生依赖心理时，要及时阻止自己，因为总是依赖父母的孩子不是一个对自己负责任的孩子；

3.当不能确定自己能否独自完成事情时，学会进行自我激励，这样就能让自己充满激情地完成事情；

4.当自己独立自信地完成一件事情时，学会进行自我肯定，如果能做到这一点，我们就会越来越自信。

篇后语

在这个篇章中,摩根先生通过写信的方式让孩子学会管理好自己,并要求孩子要学会与人交往,正确对待人与人之间的关系,不要让自己迷失在这些关系中,阻碍自己前进的步伐,这是十分不理智的举动。

摩根先生告诫孩子,我们是一个独立的个体,很多事情需要我们拥有自律性,一旦失去自律性,那么健康、金钱、经验和平衡的生活就会远离我们,让我们在所谓的"无拘无束"中迷失自己,甚至蒙蔽了自己辨别是非的双眼。健康是幸福生活的重要资本,我们必须管理好自己的健康,但健康的身体源于有规律的生活,我们每天都很忙碌,但不能让忙碌成为借口,应该要学会合理安排自己的时间,合理安排自己的生活节奏这样才能拥有健康。在生活中,我们总是被烦琐的事情缠绕,甚至感到力不从心,总以为压力才是剥夺我们健康的杀手,殊不知我们之所以不健康实际与我们毫无节制地吃用自己喜欢吃用的食物有关,也与我们不能合理安排作息时间有关,更有甚者与我们缺乏自制力有关。因此,我们必须获得这方面的知识,而最有效的方法莫过于读书,读书是获取经验最快捷的方式,如果我们学会安排时间阅读一些有用的书籍,那么我们就能获得自己想拥有的知识,这些知识甚至能转化为经验,直接影响我们的行为,让我们根据实际的需要调整自己的世界观、价值观、是非观和金钱观。说到金钱观摩根先生给我们上的第 13 课——管理好你的钱袋就很好地阐述了有关管理钱袋的问题，管理好自己的钱袋就等于管理好自己的人生，这样说一点也不过分，只要我们认真阅读，一定会明白个中的道理，甚至会让我们对金钱的态度得以升华。

另外，摩根先生还告诫孩子在与人交往方面应该注意的问题，不能用自己的主观意识评论别人，要学会尊重别人、关爱别人，当你能够做到这一点，别人也会以相同的态度对待你，甚至会给你带来意想不到的惊喜。另外，在与人交往中别太在乎别人对我们的评价，毕竟人心复杂，我们很难明白有些人对我们的所作所为，但也没必要寻根究底，这只会让我们十分痛苦。因此，理性地对待别人的批评是一件十分重要的事情，如果我们不能做到，那么只会在所谓的痛苦中沉沦，这样的代价未免太大。最好的做法当然是不受别人的影响，继续遵从自己的内心，对别人诚实，尊重别人，关爱别人，让别人感受到你对他的信任，让他人充满成就感，所有的这些都取决于我们的态度。

认真阅读这个篇章吧，你能从摩根先生对孩子的教导中领悟一个父亲对孩子的影响，他是一个十分懂得及时修正孩子行为的人，并让孩子学会从错误中学习，另外又是一位仁慈的父亲，总是在适当的时候安抚孩子浮躁的心，让他们端正生活的态度。

第三篇

罗杰斯写给孩子的信

第 1 课 / 你的生活是你自己的
——罗杰斯写给孩子的第 1 封信

> 课前引：你的生活是你自己的，因此不要过多地受别人影响，当我们与大多数人背道而驰的时候，这或许就是获取成功的契机，同时要抓住这个契机就需要非凡的勇气，孤军作战。这并不是什么坏事，我们要用正确的心态对待这些事情。

亲爱的乐乐：

在生活中我们要面对很多选择题，例如应该在哪里接受教育、应该从事什么职业、应该在哪个城市发展比较好、怎样才能施展我的才华，等等，所有这些问题都没有统一的答案，但当你面对选择时总是会有很多人给你建议，但你要记住这句话：不要让别人影响你，你的人生由你主宰。

别人给予我们的建议通常都是善意的，但正确的建议却不是很多，我们必须要保持清晰的头脑进行信息筛选，选择对自己比较有利的方面，然后作最正确的决定。

我们每个人都掌握着自己的人生命脉，因此有足够的能力为自己出谋划策，让自己采取最佳的行动。然而别人的建议通常都比较客观，很难符合我们内心所需，因此我们要学会果断放弃，选择对自己最有利的方案。

我也曾尝试过接受别人建议的方案采取行动，但十分奇怪，我从来都没有从别人的建议中获益，相反还让我损失的非常多。

经历了这些教训，让我明白必须尊重自己的意志才是最佳的选择，这也成为我以后人生的做事准则，每次采取行动以前我都会反复检查自己是否按自己的方案采取行动，这比问这个行动会不会太迟要好很多。

我曾经读过有关游泳健将唐娜·迪薇罗娜的故事，她不算是一位十分顶尖的游泳选手，但却在两次奥运会中夺得金牌，当有人问她是怎么做到的时候，她说："我以前总是喜欢和其他选手比较，但后来发现别人的优势不一定是自己的缺点，因此我不再留意任何人，只做好我自己就足够了。"

当别人嘲笑你的行为或者都说你这样做是在犯错误时，你大可把这个行为作为导致成功的契机，你要知道这个世上没有人是通过重复别人的行为获得成功的。另外，当我们决定坚持自己的行动时，必须要清楚地知道这需要很大的勇气，因此必须坚定自己的意志。

我用中国给你举一个例子，在20世纪90年代以前，我们西方的国家都很看不起这个古老的国度，认为它是一个故步自封，停滞不前，自以为是的国家，因此很少有人在那里投资，但如果当时有人投资这个国家的话，相信他的资产已经翻了几十倍了。

在20世纪80年代开始，经验告诉我中国是一个很值得投资的国家，因此我尽自己的能力查找有关这个国家政局和经济方面的资料，因此毫不犹豫地对它进行投资。当时很多人都说我疯了，怎么会想到投资一个自以为是，甚至故步自封的国家，这不等于自寻死路吗？但我不这样认为，因为这个国家的人都十分朴实和节俭，因此他们的储蓄率很高，超过整体收入的33%，因此，我认为投资这个国家不是冒险的行为，而是理性的决定。

纵观我们的国家——美国，人们的储蓄率只占收入的1/25，现在更低，只占 1/50，而且还出现了很严重的财政问题，这些问题严重影响我国经济的发展，而中国的经济成长速度是其他国家不能超越的，并远远超过了世界的水平。因此，投资这个国家绝对是明智之举。

我们只要细心留意就会发现，那些科学家、数学家、舞蹈家、哲学家等之所以成功都是按照自己的方案进行行动，很少会理会别人的想法，因此，重复别人的行为是很难成功的，别人的行为只适合于他们自己，不适用于所有人。

像惠普公司，它从来都有自己的发展计划，甚至大胆创新，走别人不敢走的路。因此，现在它的产品在全球热销，是一个别人难以复制的知名品牌。当它确定一个方案后就会立即采取行动，承担一切不良的后果，正是这种非凡的勇气导致惠普公司历久不衰，它的产品的市场占有率一直都是有增无减。

因此，乐乐，我希望你能保持清晰的头脑，有自己的主见，从不从众，这才是对自己负责任的表现。我从来没想过让你继承我的衣钵，成为一位出色的投资专家，你只要做好你自己，成为自己想要成为的那个人就可以了。

当然，做好你自己不等于一意孤行，我们必须在行动以前做好十足的准备，任何事情的正确性都是有论据来支持的，是客观的存在，不是我们的主观意识所能够左右的。因此，我们必须尽自己所有的能力找到相关的资料来支持我们的行动，成功从来都只会青睐那些有准备的人，对于那些冲动、蛮干、没有知识的人，他们从来都不会成为某个领域的成功者，都不过是生活中的泛泛之辈。

当然，作为父亲，我不可能对你的所有事情都袖手旁观，一定会向你提出各种各样的建议，但我希望你不要因为我是爸爸就按照我的建议行动，你大可只做你自己认为正确的事，我会尊重你的选择。

我们可以通过学习了解这个社会的方方面面，知道这个社会存在很多丑陋的现象。但一个有智慧的人从来都不会被这些现象影响自己的行为，总是按照道德标准去规范自己的行为，做出对自己、对社会都正确的事情。

乐乐，试想一下，如果所有人都用不正当的手段去竞争或获得自己想要的东西，那么我们还能安然有序地进行生活吗？美好的社会环境是需要我们去经营的，每个人都有这样的义务，因此，对于那些违反道德规范的行为我们要及时摒弃，只有这样我们才能保持实力，让自己永远成为生活的赢家，成为常胜将军。

成功没有捷径，我们要永远记住这一点。

在生活中，我们看到很多人都会随心所欲地购买自己喜欢的物品，什么名牌手袋，什么名牌手表，什么智能手机等等，另外，还让自己到各种餐馆享受各种美食，甚至很铺张，认为有钱还有什么不可以的。也有人抱着赚钱不过是为了吃用自己喜欢吃用的东西，购买自己想购买的东西（不管对自己有没有用处）。我希望你能保持独立，不要受这些花钱方法的影响，这只会让你走上贫穷之路，甚至让你养成挥霍无度的习惯，影响自己的一生。

金钱是我们带不走的东西，但却是生活的必需品，我们必须端正自己对待金钱的态度，发挥金钱的效能，让金钱为我们服务。

乐乐，我很高兴你已经有5个储钱罐，而且都快装满了，我希望你能保持这个习惯，并教导你的妹妹小蜜蜂学会存钱，这样你才有能力保障自己一生的生活，才有能力让自己操控金钱，让金钱成为你的奴隶。

爱你的爸爸

小贴士：

我们每个人都有独立思考的能力，因此有很多问题都可以单靠自己的能力就能解决。当然这并不是让我们自以为是地认为只要是自己头脑所想的事情都是正确的，而是当我们要决定一个行动前，必须做足充分的准备，收集足够的资料，然后基于客观的论据再决定采取怎样的行动。另外，无论何时都不要产生从众心理，这只会阻碍自己前进的道路，甚至让自己不能成为自己想要成为的人。作为父母，我们看着孩子们一天天成长是一件很兴奋和高兴的事。对于孩子我们有很多的期望，但怎样做才能克制自己这些力量对孩子的影响呢？这是每个家长需要思考的问题。具体做到以下几点吧，或许能让孩子们更好地发挥自己的才能，成为值得别人尊重的人。

1.让孩子们发挥自己的主观能动性，只要符合实施的可行性，我们大可以作为旁观者，静观事情的变化；

2.让孩子们养成在行动前收集资料的习惯，并引导他们根据资料采取相应的行动；

3.如果孩子的行为符合道德规范，我们就无条件支持吧，这或许更有利于孩子的发展；

4.树立正确的金钱观，并让孩子们知道储蓄的重要性，不随意浪费任何一分钱。

作为孩子应该要做到以下几点：

1.当别人向你提出建议的时候，如果有足够的材料证明自己的选择是正确的话，我们就无条件地相信自己，不理会别人在说什么，这才是通往成功的最好方法；

2.正确对待父母的期望，但也不要过分被期望制约着自己的行为，否则我们或许会错失了尝试的机会；

3.果断摒弃从众心理，这不是保护自己和尊重自己的最好方式；

4.作为孩子应该端正自己对金钱的态度，并根据自身的情况进行储蓄，并养成良好习惯。

第 2 课 / 做你热爱的事
——罗杰斯写给孩子的第 2 封信

> 课前引：成功对于所有人类来说都很有吸引力，但怎样才能获得成功是本课需要讨论的问题。罗杰斯认为做你热爱的事和专注你的所爱就能获得想要的成功，事实又是否如此呢？

亲爱的乐乐：

你知道爸爸什么时候成为一个企业家的吗？是在 6 岁的时候，这个年龄对于很多孩子来说都是贪玩的年龄，能好好学习已经很不错了，更不要说成为企业家。而事实上的确如此，我很喜欢赚钱，因此宁愿把时间花费在收拾瓶子换取金钱，也不愿意和小伙伴在球场上玩耍。在我 6 岁的时候，我向父亲借钱买了一台小推车，当时我的资本只能支持我做一些小买卖，于是我决定在球场上卖花生米和饮料。这样我的商业生涯就开始了，当我把这个生意经营了 6 年时间后，我把欠款全部还清，还累积了自己的第一桶金 100 美元。

到了大学的时候，我挪用了一部分奖学金用来投资，这是我第一次投资，这次投资让我知道自己热爱的事业是投资，而不是经商。

当我们发现让自己乐此不疲的事情后，我们大可立即采取行动，不要太在乎自己的年龄，很多事情是越早做越好。

每个人都渴望成功，但怎么做才能获得成功呢？我认为应该专注于你感兴趣的事情，就像我对投资感兴趣，因此我会在这个领域十分投入，我的付出也有了回报，它让我成为一名投资方面的专家。如果你对厨师这个职业感兴趣，那么你可以经营一家饭店；如果你对教师这个职业感兴趣，那么你就学习相关的知识让自己成为老师；如果你对绘画有兴趣，你也可以学习绘画的技巧，最后形成自己的风格，或许你将来会有属于自己的画展。所以，如果我们想要成功，就从自己的兴趣开始，然后专心致志地学习相关的知识，这是最快捷的途径。

我很喜欢学习历史以及了解时事，这让我懂得世界发展的进程以及现在人们最关注的话题，这个兴趣我很早的时候就有了，而且很多时候它对我很有帮助。例如，曾经有人想向我购买这方面的知识：铜价是否会受到智利革命的影响。对于这样的问题我本来就很感兴趣，即使别人不会支付任何报酬，我都会热衷研究这方面的问题。

只要我的收入能够维持基本的生活所需，即使没有任何报酬，我都会研究这些让我乐此不疲的事情，因为每天醒来头脑冒出的第一个想法就是要知道这些让我感兴趣的问题的答案。我认为从事自己喜欢的职业不是单纯地做一份工作，而是我的生活内容，是我的生活不可缺少的一部分。

如果让我从事其他工作，相信我不能发挥现在的能力，就像叫我成为时装设计师一样，我没有一点兴趣，对于我来说衣服不过是用来包裹身体的物件，并不是用来装饰的，而且我也没有这方面的审美观念，如果要入手也感觉很吃力，甚至是一种折磨。因此，我在这方面一定不会成功。因此，做你热爱的事情才驱使你拥有前进的动力，并让你在这个领域中越走越远。

如果你选择一个你并不热衷的事业，那么你成功的概率就会大大降低，甚至严重影响自己人生价值的实现。

当我们对一件事情感兴趣时，我们就喜欢把时间投入这个领域，并不断学习这个领域的知识。就像我喜欢投资一样，我知道很多这方面的知识，但你知道的别人也会知道，那么怎么做才能比别人有优势呢。我认为必须要注意细节。很多人之所以不成功是因为他们并没有留意细节问题，凡事只求大概，导致最后失败了也不知道是什么原因。而我不喜欢什么都只知道大概，我喜欢事无巨细，这样我就能发现别人不能发现的细节，并思考这些细节带来的影响，然后寻找解决问题的答案，如果找不到答案我是不会随便行动的，因此我的成功往往就是比别人更深入地研究问题，用正确的态度对待细节。正因为这个态度，让我发现别人不能发现的机会，让我比别人成功。

我是在耶鲁大学毕业的，在那里很多同学都比我有优势，不管是学习方面的，还是智力方面。每次他们准备考试的时间都很少，并且自信满满的。而我就做不到那样，因为总感觉自己有很多知识都没有复习得透彻，很多问题还需要思考，现时的答案又不是很完美，因此我会花很多时间在功课上。另外，或许也和我很珍惜这次接受教育的机会有关。

如果你对一个领域感兴趣，一定要多花时间在这个事情上，就像你想投资一家公司，你不能单纯从公司公报的财务数据出发，我们要学会仔细研究手头上的资料，然后发现一些细节的问题，根据这些细节的问题向这个企业的有关人员进行询问，另外还要学会向第三方进行求证，如他们的竞争对手、客户、合作伙伴等与他关系密切的人。这样我们才能求证自己掌握的资料是否真实和符合实际，也只有这样我们才能作出正确的判断，获得想要的收益。这个世界没有任何人拥有预知的能力，我们都是普通大众中的一员，因此无论做任何事都要事前进行调查理解分析，这样才能避免错误的发生。

记得在我少年时期已经参加工作了，那时在泰克叔叔的店里帮忙，但不知道为什么那天的生意很少，让我感觉很清闲，但父亲曾经教导我："不要认为没有生意就是没有事干，一个称职的员工是懂得寻找事情来做的，永远都没有闲下来的时候。"因此，我主动拿起抹布，擦起货架，当老板泰克叔叔看到后觉得我是一个十分勤劳和自觉的员工，于是给我涨了工资。

后来，我到了一家制造业公司工作，但我仍然保持这个自主工作的优点，因此即使当时我不会使用某些工具，老板还是涨了我的工资。这当然会让有些人感到愤愤不平，但因为老板看出我是一个主动自发的人，因此也没有理会他人对我的指责，并让我在那里学习和掌握了很多技艺。

在作任何决定以前切忌自以为是，而应该根据客观实际确定此事可为才采取正确的行动。

在20世纪60年代，美国通用汽车基本垄断了当地的市场，因此，这个公司的效益非常好，股票价值非常高。但在这个时候有一位有远见的分析师发现日本丰田汽车正打算进军这个市场，因此对人们说："日本人要来了。"但竟然没有一个人去理会他，甚至不想知道他说这句话的意思，过了不久，通用公司的股票大跌，丰田汽车的股票却大升，这时人们才如梦初醒般地明白这句话的含义。

这是汽车行业的一个例子，在20世纪90年代也发生了类似的事件，就是人们根本没注意到一家叫"沃尔玛"的零售企业的成长速度，而重点关注那些成长性已经稳定的有价值的公司，如西尔斯百货，当手握沃尔玛股票的人为自己的投资感到快乐的时候，那些握着有价值公司股票的人才大喊可惜。这时发出这样的哀叹声还有用吗？什么用都没有了。

当我们打算投资一个国家的股票时，我们不能单靠层面的资料来进行判断，尤其是那些报纸杂志，我们一定要到那个国家走走，感受那里的文化和制度。这样我们才能清楚地知道这个国家的股票是否值得投资。当然我们需要留意的东西非常多，稍有不慎就会让自己投资失败，甚至导致本金严重损失。例如，我们可以看看那里的人文精神，人们的素质高不高，人们是否遵纪守法，这里的法律有没有保障公司的权益，有没有保障投资人的权益。最重要的是看看这个国家有没有地下流通的货币市场，这些市场是否普遍，对国家的汇率影响大不大等等。

仔细分析地下市场的汇率和国家公布的汇率差异大不大就知道这个国家是否值得投资，就像一个人体内的温度，如果严重超出正常的范围，那么就可能危及一个人的生命，并影响一个人的判断力和思考力。但如果恢复到正常的温度，那么就会让人们保持活力，发挥自己的所长，让自己离成功越来越近。在20世纪80年代，中国的地下市场汇率超出国家公布汇率的50%，这与它当时的政局和环境有关，但到90年代左右，这个比例下降到25%，90年代末更下降到10%，因此在那个时候我十分肯定地知道中国是值得投资的国家，并不是一意孤行的结果。

当我们执意要向一些政局不太稳定的国家进行投资时，应该要理性思考一下这个国家是否真能为我们赚取收益，通常最好的介入点是确定下一轮重要的政局改革将要到来的时候。因此切忌盲目进行投资，就像在1991年的时候，秘鲁适逢内战，很多人知道这个政局马上会向好的方面发展，因此趁低吸纳他们的股票，最后赚取了很多财富。但在2000年初，津巴布韦的股票价格虽然很低，但政局十分不稳定，也没有任何信息表明其会向好的方面发展，因此当时自以为是地投资了股票的人们最后都只能血本无归。

就像我在前面说过的那样，我们要取得成功就一定要尊重自己的内心，从事那些自己喜欢的事情，只要我们保持热情，那么我们就能发现自己的梦想，并努力为之奋斗，成为自己想要成为的那个人。当然，梦想是不会一下子就会出现的，像我在6岁的时候卖花生米和饮料一样，我很喜欢享受赚钱的时光，而且为了赚钱也做过很多工作，但我一直都是对赚钱抱有热情，从来不知道自己的梦想。直至 37 岁的时候，我才发现自己的梦想是探索，于是骑着我心爱的摩托车就前行了，在旅途中我了解到世界各地的风土人情、人文精神、风俗习惯，这些都让我喜欢探索的头脑感到很满足，并让我对世界有了一个更新的认识。

梦想是会随着时间转移的，就像在没有你和妹妹以前，我喜欢探索，但现在我的梦想是尽自己最大的努力保护好你们，并希望能够每天都和你们在一起，分享你们成长的快乐。我只愿你们能够健康快乐地成长，并抱着属于你们的梦想向世界出发，度过有趣的一生。

爱你的爸爸

小贴士：

每个父母都希望自己的孩子能够快乐健康地成长，但怎么样的成长才是健康快乐地成长呢？我们不妨学学罗杰斯，他用自己温暖的心来引导孩子，让孩子明白生活的乐趣，并追求自己喜欢的事物，对喜欢的事物抱有热情，并乐此不疲地进行探索。当然探索也有很多的学问，如年龄的大小、投入的程度、关注的程度、主动的程度等等，这些都关系到孩子们的成长和发展，因此作为家长必须要尽可能多地正确引导孩子，才能让孩子明白和理解生活的乐趣。具体应该做到以下几点：

1.无论孩子处于什么样的年龄阶段，我们也要支持他们干想干的事情；

2.鼓励孩子全情投入自己喜欢的事情，让他们感受做事的乐趣；

3.细节是成功的关键，学会引导孩子关注关键细节问题，让他们增强解决事情的自信；

4.培养孩子做事的主动性，让他们把自发做事变成习惯；

5.鼓励孩子在作任何决定以前，让孩子反复思考一下是否确定这些决定能为自己带来不菲的成绩；

6.引导孩子探索自己的梦想，当然这要在不急不躁中去发现，否则只需一时三刻想出来的事情不叫梦想。

作为孩子应该要做到以下几点：

1.不要因为自己的年龄制约自己的行动，当决定要干什么时就尽情去干；

2.只要是自己热爱的事情，都专心致志地去完成；

3.做事的时候要注意细节的问题，当这些问题不能找到答案时，不贸然行动；

4.培养自己自发主动找事情做的能力，这将为你的成功打好基础；

5.采取行动以前一定要反复询问自己是否确定这个事情值得去做，如果不能确定，暂且停下来，看看还有哪些因素阻碍我们前行；

6.在做事的时候留意一下自己都对什么事情感兴趣，对于这些感兴趣的事情大可发展为自己的梦想。这样人生就会有了追求的目标。

第3课 / 不要忽略看似无关紧要的信息
——罗杰斯写给孩子的第3封信

> 课前引：现代社会是一个信息爆炸的时代，但很少有人会去考究信息的真伪，甚至有些人却自以为是地认为是真，最后导致自己吃下难以预料的苦果。因此，我们不要随意地运用他人提供的信息，一定要用自己独立的眼光寻找看似无关紧要的信息，这样才能避免自己犯错误。

亲爱的乐乐：

我们必须要保持清晰的头脑，对事情进行独立的判断。我们每天都会被那些看似很正确的道理充斥着，如从事什么职业才是稳定的职业，该吃什么食品才能够保持健康，每周要喝多少杯水才能保证身体机能正常运转，什么才是稳赚不赔的投资准则，等等。所有的这些都被人们当成是真理，并把它们作为自己的行为规范，因为只有这样我们才能保持健康，保证自己的金钱满足生活所需，才能让自己过上稳定的生活。但我想说，如果你没有亲证过这些准则，请不要把它当作真理，因为往往这些所谓的真理其实根本没有任何支撑的条件。所以，我们必须要学会筛选生活中遇到的信息，这样才能避免自己盲目地去追随那些所谓正确的真理。

下面我为你举两个例子，你就会明白那些所谓正确的真理其实都是谬论，甚至会让人们损失惨重。

在1973年，由于政府削减了国防的开支，导致国防工业的股票价值大跌。对于普通人来说这是很正常的现象，按照现时国家的政策，这个行业的股票价值会一直下降，除非政府重新颁布新的政策，否则这类型的股票价值很难上升。而且当时适逢以阿战争，在这场战争中，美国的军事力量明显减弱，因此人们更加确定，国防工业股短期内难有翻身的余地。但事实却与大多数人推断的相反，美国的国防工业股不断地攀升，而且势头十分迅猛，甚至有些股票的价值升幅超出了100%。

第二个事例发生在1970年，当时原油的需求量很大，但很多投资分析专家还认为原油的升幅不会很大，原因在于最近发现了几个新油矿，而且原油的采集和加工技术相对以前而言有了很大的进步，这可以提高炼油的效率，及时满足社会的需求。但事实真是这样吗？不是的，当时的技术虽然大有进步，但不足以一下子就把效率提高，另外新发现的几个油矿开采的速度远远赶不上需求，因此这就会造成供小于求。供小于求相信懂得一点经济学原理的人都明白意味着什么，因此，最后原油的价格大升，相应的股票价值也大增。

我于1971年左右对原油进行了投资，因为我确信自己的研究成果和常识会为我带来好的收益。当普遍的人都认为原油价格会保持不变的时候，我却发现原油供小于求这个常识，让我以相当低廉的价格购买了很多原油的股票。直至1980年，原油的价格升至35美元一桶时，那些所谓的专家又再次出来喊话，说原油是值得投资的潜力股票。受到这些专家喊话的影响，那些行业的龙头当然不会放过赚钱的机会，因此努力地开采原油，即使那个时候汽车十分流行，人们对汽油的需求却有减无增，最后导致原油的价值在那个价格波动，直到1978年，原油第一次供过于求，我就在那时把手上的股票都变换为金钱，直至1998年才再次投资原油。

  1998年我投资原油的时候不过是15美元,但经过10年的时间却上升了7倍有多,正常情况下如果没有新的能源取而代之或有什么重大事件导致需求减少,这些股票的价值还会一直攀升。

  现在传播信息的媒介有很多,报纸、杂志、电视、网络等,但这些庞大的信息并不是都对我们有用的,我们要学会区分筛选,否则就会很容易被这些信息误导。就像之前报纸说伊拉克隐藏了很多杀伤力厉害的武器,危害整个社会的安全,但事实是什么现在也不用我多说了。因此,信息的真伪只有那些制造信息的人知道,他们制造这些信息的目的是需要我们保持理智的头脑去分析的。当然这也涉及很多敏感性的话题,我也不想详说,只是我们不要太相信这些媒介提供给我们的信息,一定要自己落到实处去调查,相信自己查到的事实,这就足够了。

  另外,对于别人对我们说的话语,我们要学会有所保留,一定不要尽信,这对自己没有多大的好处。懒惰只会使我们陷入不必要的危机,事情的真相很多时候通过探索是可以看到的,因此我们必须要用自己的双眼进行亲证,这样才能把握最准确的信息。

  我在哥伦比亚大学讲课的时候,很多学生都很惊奇我为什么能注意到这么多细节的东西,甚至能看到信息背后隐藏的重要信息。我认为没什么好惊奇的,因为这些事情其实每个人都能够做到,关键是你肯不肯多花一点点时间去调查、去探索,无论这些信息藏在哪里你都愿意去亲证,那么你就能看到别人看不到的东西,掌握到别人掌握不到的信息。

  现代社会是一个信息庞大的社会,我们每天都会被各种各样的信息充斥着自己的头脑,但如何判断信息的真伪成为重中之重的问题。很多人之所以投资失利,是因为他们缺少对信息真伪的研究和分析,因此,只要我们打算投资某一个项目或某一个领域，我们一定要学会深入虎穴，否则我们只能作出错误的判断，甚至导致本金的价值越来越小。投资的成功是在于处理好信息和投资之间的联系，并发现影响投资效果的重要细节，这些细节很多时候看起来好像无关紧要，实际上却是决定投资成功与否的重要因素。

不要忽略看似无关紧要的信息，因为这些信息是成功的前提，就像第二次世界大战的著名将领巴顿所说："当每个人的想法都一致的时候，证明没有任何人在思考。"细节如此重要，我们必须保持独立思考，不受周围人们的影响，这样才能找到是否值得行动的正确答案。

爱你的爸爸

小贴士：

普通常识看起来并不是那么普通，这就要求我们不要忽略那些看似无关紧要的信息。当今社会是一个信息爆炸的时代，我们必须保持独立性，用自己的眼光和能力去筛选信息背后隐藏的重要提示，并学会亲证信息的真伪，这样我们才能看清楚事物的真面目，从而采取对我们最有利和最有价值的行动。如果不能做到这一点，那么失败的事情经常会在我们身上发生，就像一场又一场的暴风雨，如何坚挺的树木都经不起暴风雨接二连三的打击，最后只能倒在地面上，干枯，灰飞烟灭。因此，作为家长要学会引导孩子筛选信息，保持独立思考，认真探索，不从事物层面去了解事物等等。具体请做到以下几点：

1.引导孩子正确对待大众都认为正确的智慧，并尽自己的能力列举实例让孩子们看清这些所谓的智慧；

2.教导孩子筛选各种媒介的信息，并要保持独立性去分析、探索，尽量避免自己和孩子都被信息误导；

3.只要有时间，要和孩子一起对某些所谓的常识进行探索，让孩子们了解探索的乐趣，另外也让他们学会留意事情的细节，从别人看不到的地方出发，往往是成功的基础。

作为孩子应该要做到以下几点：

1.当别人都对某个事情有统一看法的时候，就要保持独立性，认真分析思考探究事实是否的确如此；

2.面对庞大的信息要保持理性，认真发掘思考信息背后隐藏的重要内容；

3.开始某个计划时，一定要行动起来寻找对自己有用的信息，这样才能保证计划的成功。

第 4 课 / 学会独立思考
——罗杰斯写给孩子的第 5 封信

> 课前引：我们都是一个独立的个体，自己能否成为一个优秀的人全在于我们自己，没有人能为我们保证什么或陪伴我们的一生，路终归都是要我们独立行走。因此，无论何时，我们都要拥有独立思考的能力，这样才能向生活给我们的考验出发，才能成为自己想要成为的人。

心爱的乐乐：

你和小蜜蜂的年龄都很小，或许现在对你们说这样的事情有点早，但我希望你们明白在人的一生中会遇到各种各样的问题，这就需要我们保持独立，认真思考解决问题的办法，因此，我希望你们能够学习哲学。哲学是人类文明的结晶，它能给我们引导，让我们形成自己独有的世界观和价值观，知道什么事是可为的，什么事是不可为的，更让我们好好地了解自己，了解自己的内心，知道自己的需求。

当然，我不是让你们成为哲学家，研究那些深奥的逻辑知识，我只是希望你们能够学会独立思考。如果一个人没有独立思考的能力就会产生从众的心态，人云亦云不是智者所为。因此我们要保持客观的独立性，让自己去探索发掘真理，如果你不能做到独立地进行，那么你将会成为普通大众的一员，没有任何过人之处。而哲学则教会我们这些道理，让我们保持"独立"。

我在牛津大学学习的能力不是很好，因为他们总是重复一些看似很普通的问题，例如在森林里能够听到风吹树木的沙沙声吗，在没有人居住的荒岛我们能否依靠自己的能力生存下来等等，这些问题的答案看似很常规，但细想一下又好像不同的人会有不同的答案，甚至得出来的答案或许会优于标准答案，这正是独立思考的功劳，对提高自己的智慧和能力都很有帮助。

我之所以让你们多阅读哲学的书籍，是希望你们的逻辑思维能力和独立思考能力能够在阅读中得以提升，但如果说通过阅读哲学的书籍能让人产生哲学性的思考我认为很不妥的，毕竟哲学性的思考是需要锻炼才能获得的，如果认为单纯靠读书就能获得就有点不太合乎常理。

如果我们足够细心，就能发现那些被人们称为常识或大众智慧的理论很多都是错误的，究竟在哪里出错就是我们需要思考的问题，特别是那些看似很主流的思想，当有人对它进行抨击我们就要反思到底是哪里出错了，并把这样的思考方式变为自己探索问题的习惯。这样，无论何时你遭遇什么问题都会亲历探索，找出问题的真相，增长自己的智慧。

所谓的大众智慧不过是自欺欺人的表现，就像股市的泡沫时代，每个人都以为它会停留在最高点，因此非常淡定，但事与愿违，当到达泡沫顶点的时候已经没有任何东西能对它进行支撑，最后抵受不住重量慢慢地蒸发掉，这就是股市下跌的原理。因此我们看问题一定要进行独立思考分析，然后及时总结吸取经验教训。

如果我们要探索事情的真伪一般从两个方面进行，第一尽可能收集材料证明真相，第二就是运用自己的逻辑思维能力进行推理。

当我们收集好材料后会发现有些事情是存在规律的，就像股票市场和商品市场，一般情况下它们多头的时段都会交替出现，时间间隔大约是15至23年之间，就像1999年商品市场越来越兴旺，但我认为它只会持续9年时间，按照规律计算，下一次兴旺时间应该在2014年至2022年。

至于逻辑思维能力我认为有一个例子很好地说明了这一点，但你必须付出汗水进行调查，否则你将无法发现股票市场和商品市场是存在这样的关系的。家乐氏是谷类早餐的龙头，也是相关行业的风向标。当谷类早餐的价格比较稳定时，市场需求就十分稳定，这样他们的生产也稳定，最后把赚到的利润都反映在财务报表上，导致股票价值上升。但如果谷类早餐的价格上升，导致市场需求降低，生产成本的比重就会增加，这样赚取到的利润就不能及时地反映在财务报表上，影响股票的价值，造成下跌。通过逻辑思维的分析，我们就会知道什么时候是入市投资的好时机，什么时候要退出这个市场，获取收益。这些能力是需要通过锻炼和思考才能获得的，希望你们能通过自己的努力获得这方面的才能。

什么时候适用什么方法这也是你们要思考的问题，不能一概而论，因为在某些情况下，或者要把它们二合为一才能得出结论，我们要学会具体问题具体分析，然后弄清解决问题的办法。

当然，我们对市场进行投资，不能一味追捧那些过热的行情，要学会关注这些行情外的投资对象，很多时候这是其他对象入市的好时机，但我们一定要保持独立思考，理性分析，这样才能发现和抓住那些潜在的可能，也只有这样，我们才能成为永远的赢家。

就像经历了1997年的金融风暴后，很多人都不再对投资商品指数抱有期望，因此纷纷撤资。但我却认为这是入市的好时机。因为当时很多人都对资源和能源问题很少关注，甚至可以说是漠不关心，另外很多人选择大学专业的时候都选择那些看似很好的行业，如商业管理、工商企业管理等。因此没有人有心思留意商品市场的走向。虽然在1997年之后几年商品指数都处于低微状态，但现在它的指数在什么位置，相信不用我多说你也清楚我又再次获得收益了。

作为父亲我很希望把自己的经验都告诉你，毕竟我比你们的经验丰富。但你的人生是由你自己主宰的，你要思考一下自己对什么感兴趣，打算怎么过上怎样的生活，什么东西是你热切期望的，你都要学习些什么，等等，这些都要你发挥自己的主观能动性去思考，然后尽自己最大的力量过上自己追求的精彩人生。

爱你的爸爸

小贴士：

我们每个人都应培养自己独立思考的能力，不能依赖任何人。因为在我们的一生中总是要面对各种各样的事情，如果我们总依赖别人帮助自己解决问题，我们就会变得毫无主见，甚至脑袋迟钝。造物主给予我们大脑是让我们思考问题、思考人生的，我们不要浪费他的伟大创造，否则就是对自己的不尊重。因此，作为父母，我们必须摆正自己的心态，不要事事为孩子做出安排，要永远记得他们是人，他们具有自己的思考力和判断力。在很多时候应该尊重他们的意愿，因为这是他们经过思考得出来的结果。具体请做到以下几个方面：

1.多让孩子阅读哲学类的书籍，让他们吸收书中的精华，培养他们的哲学性思维；

2.引导孩子掌握思考常用的两种方法，第一种是归纳法，通过对事物进行归纳，发现其运动的特性，从而总结出事物的运动规律，为自己作出正确决定做准备。第二种是演绎法，就是培养他们的逻辑思维能力，发现事物发展的真相，从而根据真相决定自己的行为；

3.多向孩子们传授你的经验，毕竟它们都经过时间的洗礼，有其独有的价值。

作为孩子应该要做到以下几点：

1.主动阅读哲学类的书籍，并学会及时分析总结吸收，这对于培养自己拥有哲学性思维具有很大的帮助；

2.独立思考的方法主要有两种，我们要时刻谨记运用这两种方法解决问题，然后养成习惯，这将对我们看清事情的真相和规律都是很有帮助的；

3.发挥自己的主观能动性独立思考判断别人的经验和知识是否值得借鉴，然后尽力把有益的经验化为己有。

第5课 / 研读历史
——罗杰斯写给孩子的第6封信

> 课前引：研读历史、学习历史，让我们能以宏观的眼光看待世界上的所有事物，每个国家的历史都有值得我们学习的地方，也让我们知道这个世界不是一成不变的，而是每天都在变化着，但同时这些变化是重复的，这只有研读了历史的人才能发现，就像罗杰斯先生所说："太阳底下没有新鲜事。"

心爱的乐乐：

学习历史知识，能让我们用宏观的眼光去看待世界。世界每天都在变化，今非昔比是形容变化的最好词汇。就像在20世纪10年代，德国和英国是很友好的两个国家，国民和谐共处，共促经济增长，但4年后，这两个所谓友好的国家竟然大动干戈，甚至战况的激烈程度是史无前例的。因此，这个世界没有一成不变的关系，没有人能够准确猜想10年、20年后的事情。

我们要从学习历史中知道政治和经济之间的联系。每个国家都有自己的政治体系和经济体系，但这些体系不会只对自己的国家造成影响，它还会影响其他国家，甚至影响它们的市场。根据历史资料显示，一个国家如果发动战争或政局不稳定都会造成物价上涨，甚至严重影响经济的平衡。另外金价也成为一个很重要的风向标，它的价值也会跟随政治和战局的不稳定不断上扬。因此，学习历史也能为投资提供重要的信息。

每个国家都有它们的历史，但无一例外都是很重要的知识，因此我们必须努力学习各个国度的历史，这将拓宽我们的视野，让我们从不同的角度了解历史。就像美国的历史和中国的历史是很不同的，它们都有自己评论历史的角度，这些角度受风俗、文化、习惯等方面的影响，甚至经济和政治的不同体制也会让它们反映出来的历史真相不尽相同，但都有它们各自学习的价值，我们不能主观地认为什么地方的历史好就学习什么地方的，一定要用宽阔的心去学习尽可能多的历史。

当我们学习足够多的历史后，自己的头脑中就会有一个整体的框架，什么历史应该摆放在什么位置，这时也会有一个清晰的反映。这样我们就能形成属于自己的历史知识的架构，无论何时都能用历史的眼光去看待事物，用历史的思维来解决问题。

当我们打算到一个地方观光旅行时，我们要先研读这个地方的历史，然后带着自己对它的了解亲证历史的真相。只有这样我们才能加深自己对这个地方的印象，并掌握这个地方带给我们的知识，才会从旅行中获得相关的价值。否则我们就会变成浪费金钱白走一趟，假以时日，甚至忘记自己这次游历，这样就得不偿失了。

我之所以让你们学习历史，就是希望你们能用宏观的眼光看待事情。当然学习历史没有统一的方法，你认为怎么学习比较好就按照自己的意愿进行，这将有利于你培养研读的兴趣，掌握相关的知识；然后再进行实地考察就可以了。

另外，历史事件有时会严重影响市场的发展。就像我在哥伦比亚大学讲学的时候，我引导学生找出市场的历史数据和历史事件之间的联系，然后发现在什么时点市场发生了什么事，当时又发生了什么重大的历史事件，这些事件有没有对市场产生影响，影响大不大，为什么历史事件会影响市场等等。这些我都希望他们能够通过独立思考了解它们之间的联系和发展规律。

通过学习历史，我们就能知道什么因素会严重影响市场的运转，这些因素发生后市场是以怎样的趋势发展等等，这样我们就能把握当中的真相，为我们遇到类似事情时提供判断的依据。研读历史除了为我们提供市场的发展依据外，还能让我们预测市场的走向。

乐乐，通过研读历史还能发现一个有趣的事情，就是历史是会重演的。如果你不相信，你大可看看现在发生的时事新闻，很多时候它们都与有些历史事件很相似，因为人性是很难转变的，因此总会重复某些行为，而这些行为通常也会带来类似的结果。因此，我们对待事情必须保持理智，尤其是那些别人都认为是具有创新性的事件，只要细心分析也能发现当中的类似行为。当然，不是说每件事都会一模一样，而仅仅是它们发展的脉络和方向相似罢了。

反正谨记一点：太阳底下没有新鲜事。

就像20世纪90年代发生的互联网革命一样，很多人都认为这是一个独创性的话题，但事实上历史上这种事件已经发生了很多次。就像电话、电视、冰箱、洗衣机、铁路、飞机、火箭等等都发生过类似的事情。如果我们不能用历史的眼光看待评价这种事情，而是盲目地相信报纸杂志所说它将会把我们带领到一个崭新的投资领域的话，那么或许你会蒙受很大的损失。

当你听到别人宣称这些事件是第一次发生的时候，你就要立即保持谨慎，不要轻易被他的言语影响自己的判断。历史每天都在重演，只在于我们能不能够发现当中的相似性。有时有些人会固执地说："这次不一样。"这时你也要保持理性，认真分析。因为很少会有不一样的事件发生。就像在1999年的时候很多人都投资那些高新科技股，而且通过报纸杂志的宣传越炒越热，受到很多人的追捧。但我却认为这时是撤资的好时机，因此我把资金撤出并投入当时人们都不看好的商品指数。

乐乐，一定要研读历史，并根据自己学到的历史知识来看看哪些事件已经重复发生了，哪些还没有发生，然后根据知道的事实对未来将要发生的事情进行推测，让自己用长远的眼光去看待事情，作出正确的判断。

爱你的爸爸

小贴士：

学习历史、研读历史，能让我们掌握事物发展的趋势。由于人类的本性都没有多大的变化，因此他们做事的方式和态度也没有多大的变化，导致很多看似不同的事件都有相同的发展趋势。至于能否把握这些事物的发展趋势是个人的问题，我们必须保持独立性，认真分析研究历史，并用宏观的历史眼光看待事情，这样我们就能很好地参照历史对事情的发展趋势作出判断，同时也能预测事物发展的方向，培养自己看待事情的长远眼光。作为家长，要想孩子们拥有这样的能力，我们就必须让孩子们多接触历史的书籍，并鼓励他们发挥自己的主观能动性，发现事物发展的方向和规律。具体请做到以下几点：

1.培养孩子们用宏观的眼光看待事物的发展，这就需要让他们多读历史书籍；

2.我们要学会客观地对待众多的历史读物，不要一意孤行地认为什么历史才是最好的，这只会让孩子对事物的认知产生偏差；

3.在旅行出发前，鼓励孩子们主动寻找有关这个地方的历史，并鼓励他们反复研读，在旅行时可以询问孩子相关的历史，让他们反复消化；

4.引导孩子用正确的态度来看待身边发生的事情，并培养他们的联想力，看到事件与历史的关联性，从而作出正确的判断；

5.学会用时事新闻引导孩子找出类似的历史事件，培养他们预测事件发展的能力。

作为孩子应该做到以下几点：

1.主动研读历史书籍，并在学习中总结事物的发展规律；

2.必须认识到没有最好的历史书籍，只有有益的书籍，因此尽可能多地学习各个地方的历史；

3.去旅行前要做好历史资料搜集，然后在旅途中把这些资料学以致用；

4.在阅读时事新闻时，要学会联想，找出事件的相似性，然后推断一下其发展方向，并把这些行为养成习惯；

5.必须谨记"太阳底下没有新鲜事"这句话，这才能时刻要求自己用宏观的眼光看待事物。

第6课 ／ 学习中文
——罗杰斯写给孩子的第7封信

> 课前引：随着市场经济的发展，中国对世界的影响越来越大，而且地位越来越高，因此，作为一个聪明的人，除了学习英文外，还应该学习中文，因为如果我们根据历史发展趋势的推断没有错的话，21世纪将会是中国作为主角登上世界的舞台。

心爱的乐乐：

虽然你们年纪不是很大，但我已经让你们学习外语了，中文是我的首选，因此我们从美国搬到这里来，目的就是让你们学习中文，让中文成为你们的日常用语是我此举的最终目标。但也请不要忽视对英语的学习，因为我不懂中文，与你们进行交流是我最快乐的事情。之所以起步这么早是因为想帮助你们打好根基，因为以后的生活和工作都会用到中文，希望你们好好珍惜这次学习的机会。

在我看来21世纪是中国的舞台，因此无论身处什么国度的人们，我希望如果条件允许的话都学习一下中文，这将对你们在未来的工作和生活中大有帮助。这不是主观的建议，而是世界发展的趋势是这样。

乐乐，成为一个世界公民必须要有洞见先机的眼光，中国是一条正在腾飞的龙，并且势头十分迅猛，在未来将会飞到一个我们难以估算的高度。因此，学习中文成为重中之重的事情，这对我们以后人生的旅程将大有帮助。

之前跟你说过研读历史的好处，我们现在用历史的眼光来分析一下未来世界将会发生些什么事情。16世纪是西班牙的天下，其对世界的影响不容忽视；17至18世纪却是法国的天下，它的影响也十分深远；19世纪的英国不言而喻，其强大程度是其他国家难以比拟的，因为它在世界多个地方都拥有过殖民地；20世纪是美国的天下；而21世纪将会是沉睡了300年的中国的天下，其以迅猛的势头直击世界的命脉，我们从现在开始就能观看到一场十分精彩的表演。这场表演是其他曾经兴盛过的国家不能参与的，如埃及、罗马、大不列颠，等等。

中国的发展是日新月异的，80年代的中国和90年代的中国有很大的不同，短短的10年中国解放了生产力，努力研发新的技术，成为电器、电话、摩托车、汽车等重要工业的生产基地，直到现时为止，中国已经成为世界最大的电话配件生产大国，其产品的输出量远远高于世界的水平，是不可忽视的投资市场。因此我们必须用锐利的眼光看着中国市场，中国市场将会是下一个十分热门的投资市场，我们大可拭目以待。

1984年我第一次踏入中国的国土，那时的中国相对而言不是很发达，但我感觉其潜力的存在，因此前前后后去了很多次，甚至在那里住上了好几个月。直到1988年我才在那里购买了一只股票，当时他们的交易所是上海一幢很残旧的建筑，直到现在我还保留着那张残旧的银行股票权证，并用框架镶起，挂在家中的墙上。我也不知道它为我带来了多少收益，而且我认为也没必要去理会它，因为我从来都没想过要卖掉它。当然直到现在我不仅只持有这只银行股，还持有其他二十几间公司的股票。

当我1999年再次到中国的时候，它的变化十分巨大，就像刚才说的交易所大楼一样，它不再残旧，而且是一幢十分高大并具有时尚感的大楼，我在这里重新开了户头，打算再次出击。

与世界的其他国家市场比起来，中国经济的发展空间还很大，因为其GDP只有9%，我们大可为自己制定长远的计划，对它进行投资。

以前很多出名的投资人都不看好中国，因此错过了很多赚钱的机会。但近几年他们都端正了自己的态度，并且来势汹汹。但我认为必须要保持理智，这样才能发现投资的时机。就像美国一样，它不是一直保持高增长的，时不时会休整一段时间，中国的经济也是那样，因此我们没必要太激进，调整好自己的心态，静待入市时机，这样你能赚到的钱将会更多。我给你们留了一份很重要的礼物，就是中国的几只股票，它们在未来的二三十年都应该会保持增长的势头的。

现在中国的经济和房地产都有很多的泡沫，根据统计显示其通胀率已高达7%至8%，因此说明中国的银行放贷过度，严重超出市场能够承担的范围，造成违约，导致银行放出去的钱大多数不能收回来。因此，中国需要一定的时间来消化这些泡沫，让经济重回正轨，这样经济才有可能再次大幅增长，而且其势头绝不可忽视。

中国政府也承认未来经济的发展有可能会出现调整的势头，但他们还想方设法地为银行筹措资金，让它们保持正常运转。但我认为这样做没有多大的意义，因为经济发展的客观规律是人为因素很难改变的。不过，这个举动只会让一部分市场受到影响，对于整体大市场却没有多大的影响。

曾经有人问我："根据你的经验，估计中国的经济什么时候会出现软着陆呢？"对此我感到很抱歉，因为我也不知道具体的时点，而且我在这方面不是很专业，因此不能告诉你正确的答案。具体来说它有可能会出现软着陆，但也有可能不会，安全度过也说不定，但这些都不是我能够预言的。但如果你真能够把握这个时点，一定要把握这个大好的入市时机，它将为你带来不菲的收益。我除了1999年购买过这个国家的股票外，在2005年末也再次购买，至于我的预测准不准确就让时间去证明。

在我看来中国就等同于商场，因为这个国家的人口高达13亿，而且对很多商品都有需求，如钢铁、铜、大豆、谷物、石油、天然气等方面的需求都十分巨大。就像石油，随着人们生活水平的提高，很多人都有能力购买自己的汽车，这就会造成石油的需求大增，如果不能平衡这种需求关系，那么石油的价格就会一路攀升，随之其股票价值也会一直攀升，因此我们要学会发现哪些供需不太平衡的产品，这或许是投资的好时机。

乐乐，我很高兴你能喜欢我给你取的中文名字，因为我希望你以后无论遇到什么困难都能乐观面对，当你独立行走的时候，不妨谨记自己的名字，因为这个世界没有绝对的哀伤，有很多事情看起来很糟糕，但当你与其直面相对后，你会发现不过如此罢了。用乐观、快乐的心情来面对你的每一天吧，就像你的母亲经常把这句话挂在嘴边"没有过不去的坎"。因此，我们要相信自己，相信自己的能力，这样我们就能活出自己想要的那份精彩。

另外，有一点我希望你能谨记，就是当发现事情的目标根本是无法达到时，就果断放弃。人的一生很短暂，能完成的事情也不是很多，我们必须把握重点，然后合理地安排时间进行，这样我们才能用有限的时间去做最多的事情。我们都是一个普通人，能力有限，既然这样，我们也没必要固执地认为某事非做不可，这只会让你浪费时间和精力。如果可能，不如把这些时间和精力用在力所能及的事情上将会有意义得多。

至于我们心爱的小蜜蜂，她还很小，不会说话，我也期待她能说出自己名字的时刻，相信一定会是幸福和快乐的。

能够成为你们的父亲是我这一生最大的福气。我很高兴你们的到来，这为我的生活从平凡增添了一点不平凡。如果可以我希望自己能永远与你们相伴，因为自从你们出生后，我经常会被你们的成长和进步感动着，你们是我的快乐天使。

爱你的爸爸

小贴士：

中国近年来在世界扮演的角色越来越重要，因此也引发了外国人学习中文的热潮。身为中国人的我们不能因为这样就骄傲自满了，毕竟在综合国力上来说中国的实力还有待提高，我们必须保持谦虚、谨慎、不断学习的态度，这样才能为我们的国家添加一份微薄的力量。当然，聚少成多，这股力量之大是很难估算的。因此，作为家长，我们不但是祖国现时的生力军，还肩负着为祖国孕育下一代生力军的使命，为国家的繁荣富强做贡献是我们每个公民应尽的义务，责无旁贷。作为家长怎样才能顺利完成使命呢？请做到以下几点：

1.多让孩子接触时事新闻，让他们了解在自己的周围都发生些什么事情；

2.多引导孩子，让他们知道什么是爱国的行为，什么是辱国的行为，知荣辱才能成就大事；

3.以身作则，让孩子知道作为一个公民应该爱护自己的祖国，并要规范自己的行为。

作为孩子应该做到以下几点：

1.除了学习书本知识外，还要多关注时事新闻，用宏观的眼光看世界，了解周围的环境；

2.多参加学校组织的爱国教育活动，让自己自小接受这些教育的熏陶；

3.作为公民，我们有自己要尽的义务，当国家在召唤时，任何人都责无旁贷，必须谨记这一点。

第7课 / 永远对自己真诚
——罗杰斯写给孩子的第8封信

> 课前引：我们要学会认识自己，只有认识自己，对自己真诚的人才能清楚地知道自己要成为什么样的人，想要得到什么。我们是一个独立的个体，每天面临很多的挑战，这也需要我们保持独立思考，弄清自己真正的需要，权衡利弊，再做出相应的行动，这也是对自己负责任的表现。

心爱的乐乐：

学习知识、学习历史、学习语言都很重要，但有一点比这些东西都重要，就是你必须对自己真诚。我们是一个独立的个体，每天都会被各种各样的事情冲击着自己的头脑，对此我们会产生各种各样的心态和行为。我们必须要认清自己的这些行为，因为没有一个人是十全十美的，都会有这样那样的缺点，如果我们不能看清自己的缺点，那么就很难采取改正措施，让自己表现得更完美。

我也不是一个完美的人。在年轻的时候，我也是一个喜欢从众的人，当别人疯狂买进股票的时候，我也跟着买进，当别人抛售的时候我也跟着抛售，但最后我像那些投资专家一样富有了吗？没有，因此，我发现必须要保持独立性，要弄清自己想要的是什么，并真诚地对待自己的需求才能摒弃这些恶习。

但很不幸,虽然我很多时候都清楚自己想干什么,但因为比较急躁,因此经常会过早地采取措施,浪费资金的时间成本。所以,现在我正慢慢地想改掉这个坏习惯,希望自己能在行动以前放缓一下步伐,这或许会更好点。另外,我也不会跟随别人买卖股票了,我经常与他们背道而驰,这实施起来或许有点困难,但这是通往成功的必经考验。

知错能改是我们每个人都要学习的道理,但能做到的人少之又少,因此,这个世界并没有太多的富人,都是平凡人居多。因为他们的固执和坚持让自己蒙受了很大的损失,不论是金钱上还是时间上,最后付出了沉重的代价,当他们醒悟过来的时候,发现已经太迟了,这又有什么意义。

乐乐,我也是一个普通的人,也会犯错,但我很喜欢在犯错以后及时承认错误,因为我清楚地知道,一个人只有承认了错误才会有机会改正,才能让自己走近成功。任何成功都是没有捷径的,因此,我们必须保持谦虚,脚踏实地。这样我们才能往正确的方向行走。

当今社会是一个信息发达的时代,我们可以通过在网上或报纸杂志上看到各种各样的新闻,这些新闻每天都充斥着我们的头脑,甚至让我们作出错误的判断。就像我们经常会看到有些专家的预测非常准确,说黄金上涨就真上涨。但我想说这些都不过是假象,你不妨看看明天的报道,或许结果就不一样了。因此我们要避免自己成为乌合之众,这样我们才能保持独立性,用自己独有的眼光去评价事物并相信自己,坚持自己的见解,也只有这样我们才能作出最正确的判断。

在 2002 年到 2003 年之间,很多专家都建议股民不要投资日本股市,因为当时的日本国内环境有点混乱,例如自杀率增高,出生率降低,人们都渴望获取稳定的工作,不想追求那些所谓精神的职业,如音乐人、作词人等。这些都让人感到整个日本岛的气氛十分低迷,于是很多人都听从专家的建议,把钱投放在其他地方。谁知这也是子虚乌有的事情,不出两年,日本恢复了以前的生机勃勃,股价大涨,行情十分高涨,这让很多人都后悔不已。

因此,我们不能从表面现象对事情进行定论,必须细心分析,独立思考,弄清什么是可为,什么是不可为,这样才能让自己的人生变得更丰满。

除了学习历史和学习理论外,要成为一名合格的投资者还应该学习心理学。很多时候我们的心理活动都会严重影响我们的行为,甚至会把我们导向比较差的地方,为避免自己因为市场的大起大落而惊慌失措,产生从众的心态,我们就要学点心理学,通过学习心理学让我们更清楚自己的行为动机,然后阻止那些对我们有害的行为发生,让我们免遭不必要的损失。另外研读心理学,我们还能通过人们的心理行为预测投资市场的走向,为我们的投资方向提供一定的依据。

我也曾经因为自己心理因素的影响对市场作过错误的判断。在20世纪80年代,石油的供需关系极不平衡,供大于求,因此很多人都断言石油股票的价值会下跌,我也感觉很恐慌,担心自己要赔钱,因此把手上的所有股票都卖出。但过了不久因为两伊战争爆发,导致石油的输出严重减少,最后供小于求,导致石油股票价值大涨,这时我再后悔也来不及了。

有人说这是很正常的现象,投资失利的又不是我一个,仅因为你运气不好罢了。我认为这些都是借口,因为当时报纸杂志都对这次战争的前奏进行大肆地报道,开战简直是迫在眉睫,但我居然还盲目地与那些乌合之众一起,认为股票一定会大跌。这个错误犯得有点大。虽然最后证明石油价格真是下跌了,但它是经过高涨后才下跌的,当时我已经把手上的股票都卖出,结果正确又有何用。

但后悔是解决不了问题的,事情已经发生了,我只能接受,现在所能做的就是及时总结经验,并让自己保持理智,独立进行思考。并要不断修炼自己的心态,让自己处事不惊,不容易被周围环境所影响,成为其中一名乌合之众。

如果你因为自己的心智不成熟,不能坚持自己的见解,那么你就等于损失了财富。

乐乐，当我们学习了心理学后就会发现，大众的心理因素会在短期内影响市场的行情，但从中长期来看，这些因素的影响甚微，主要影响因素还是那些最基本的因素，因此我们要结合自己的实际进行投资，这样才能处事不惊，获得自己想要的收益。

当人们都在高声叫喊"上升"、"下跌"这些词语的时候，我们要保持理智，并且有一个很好的解决方案，就是制图。这个图标是建立在相关数据基础上的，如果我们感觉自己不能抵挡那些叫喊声时，我们就用它来理清自己的头绪，避免自己作出错误的判断。但一定要保持谨慎，就像我们发现图中的线条是不断上扬的，而且真是如人们说的那样有点虚浮了，也要保持理智，因为如果基本因素的支撑还有效的时候，证明它还是具有上扬的空间，除非它上扬的程度大大地超出了实际，那么我们才考虑把它抛售。

因此，当我们想抛售一只正在上扬的股票时，一定要作出客观的分析，确定其的确有很多的泡沫才可以。但同时要谨记一点，股票价值的下跌有时是因为市场极度恐慌的结果。因此一定要具体问题具体分析。

乐乐，真诚地对待自己吧，了解自己的需求，保持理智和独立性。即使犯了错误也不要紧，最重要的是知错能改，及时总结，让自己不再重蹈覆辙就好。作为父亲，我会尽自己的能力来保护你、支持你，让你感觉安全可靠，因此大步向前，走自己想要走的路吧。

爱你的爸爸

小贴士：

我们每个人都很害怕犯错误，甚至非常固执不肯承认错误。这是因为我们不能真诚地对待自己。在生活中我们很容易就原谅别人的错误行为，为什么对自己就如此苛刻呢？因此我们必须摆正自己的心态，当我们承认错误后，它将让我们理清自己的思绪，重新出发，抵达想要的成功。作为家长，我们要引导孩子弄清自己的需求，然后再采取其他行动，这样才能达到事半功倍的效果。具体应做到以下几点：

1.引导孩子了解自己，真诚地对待自己的想法，然后支持他们采取行动，让他们建立独立完成事情的自信；

2.多让孩子知道心理因素对我们行为的影响，让孩子们正确把握自己的心理，然后克服心理障碍，用坚定的意志完成自己的目标；

3.多引导孩子减小从众心理的影响，让他们保持独立性，做自己想做的事情；

4.让孩子们知道你时刻都会支持他们，相信他们，让他们感觉安全，保持自信。

作为孩子应该要做到以下几点：

1.摒弃人云亦云的心态，因为很多时候这些都是错误的举动；

2.在行动以前，问问自己这样做是否符合客观依据，是否没有受到他人的影响；

3.保持独立思考，学会找论据支持自己的行动；

4.用正确的态度对待错误，要对自己真诚，认真分析，总结经验。

第8课 / 接受改变
——罗杰斯写给孩子的第9封信

> 课前引：世界每天都在变化着，我们能否发现这些变化的存在呢？我们能否接受这些变化呢？发现和接受这些变化都对我们有什么样的好处呢？这都是我们本课要讨论的问题。

心爱的乐乐：

世界每天都在变化着，我们能否发现这些改变是我们能够看到自己的未来的前提，因为如果你连世界的变化都没有发现，你又怎么发现自己那些微小的改变。

我们要意识到改变的存在，并接受它的存在，如果不能做到这一点，那么我们的心胸是非常狭隘的，而且十分故步自封，这将严重影响自己的发展。不能接受改变的人是社会的弱者，他们就像被坚硬的石头阻挡了去路的狮子，无论用什么方法都找不到出路。

经常有人让我对他的投资给一点建议，我就会让他们自己找出变化，然后根据变化选择那些价值低廉的股票入手，让他们用最小的资本赢取最大的收益，这往往是最安全的做法，如果能做到这点，即使投资失利也不会损失太多。

当然我们投资股票的时候价格低廉不是主要决定因素，我们还要考虑变化对它的影响。如果一只股票的价格一直停留在某个区间，那么这只股票的价值就会被定位，一般情况下如果还买进这样的股票相信也只能保本罢了。但如果市场上出现了变化，而这种变化会影响这个行业，甚至影响时间比较长时，那么我们在变化的时点买进这只股票的话，那么它的成长性是不可估量的。因此，不能忽视变化对股票价值的影响，必须学会发现变化、接受变化。

在20世纪80年代我认为日本是一个值得人们尊重的国家，因为他们的思想很统一，这种统一让他们的领导者管理起来很容易。甚至因为统一的思想让他们很团结，无论何时都能提供优质的服务。我有一次因为过了服务的时间才去用餐，但他们很友好，热情地接待我，并让我感受到他们的文化，因此我认为日本兴旺发达与他们思想的单一是有很大的关系的。但有时这种单一又让人感到他们处事十分固执和保守，不利于发展。近几年好像这方面有了点变化。

在我第二次的环球旅行中，我发现日本的这种单一的思想好像变得严重了。因为我在餐桌上要求服务员给我上一碗米饭，但被他果断拒绝了，理由是餐牌上并没有这种食物。但我当时身处的是一间寿司店，寿司店竟然没有米饭简直闻所未闻。另外我的手机可以说是全球通用，但有两个国家特殊，一个是印度，另一个就是日本。他们的思想太固执、太古板，这让我有点难以接受，我不喜欢一成不变的人和事，这让人感觉十分刻板。

但它的确在变化着，因为现在的民众不再是那些纵容政府腐败的民众，在经济每况愈下的情况下，有些日本人知道自己的国家在某些方面一定要做出改变，否则他们将会饱尝恶果，并将不能保障自己的衣食。另外，日本的股价非常低，但我认为这个市场只能做短中期投资，不宜做长期投资，因为他们一直都没有把困扰他们的这个事情解决，就是出生率严重偏低。如果日本政府不再为这个问题想出有效的对策，那么他们就会出现后继无人的情况了，这对于一个国家来说无疑是自取灭亡。因此他们的股票价值长期来说具有很大的不确定性。

当然，要促使出生率增长并不是没有方法的，随便想想也有三个：第一，鼓励民众生育，并制定相应的奖励政策；第二，接受外来移民；第三，忍受低下的生活水平。当然第一个是上策，既保护了日本人守护的民族正统，又增加了人口，出现新的生力军。而第二个政策相信这个思想统一的民族是很难接受的。而第三个政策就需要那些现在年富力强的人在晚年忍气吞声了，因为他们的后代压力非常大，可能一个人就要照顾6到8个老人，你说能不忍气吞声吗？但近年好像是有点改变，具体变化成什么样，就需要时间来说出真相了。

世界每天都在变化着，但这些变化不是我们肉眼能够看到的，它转换的时间长达几十年。就像中国现在就像一个成长中的少年，假以时日将会成为年富力强的青年。在我第一次到中国的时候就感受到这些变化，他们的国度可以说是日新月异，让人耳目一新，因此，我们不能忽略它的存在，它正一天天地长大，相信不久的将来也会跻身世界最强国家的行列。

在你爷爷的时代，英国是世界最强的国家，在我孩提的时代，美国已经是世界最强。但今非昔比，现在美国成为全球欠债最多的国家，而且其资源开发过度，经济发展速度减缓等等，这些都证明美国的国力每况愈下，甚至是很难阻挡其下跌的速度的，如果我们的领导人还不能认清这样的变化，接受变化，那么我们就会在自以为是中覆灭，一蹶不振。因为，历史总是在重演的，只是主角有所变化罢了。

乐乐，让我们不断提高自己的能力吧，看清事物的变化，认识它们变化的原因，并接受变化，这样我们才能在变化中发现新的机会。如果你固执地不承认变化的存在，那么你就会在故步自封中灭亡。

爱你的爸爸

小贴士：

发现变化，承认变化，接受变化，那么我们就会为自己迎来崭新的局面，我们都是一个普通的人，每天都会遭遇各种各样的问题。如果我们不能用良好的心态去面对它、接受它，那么我们就会在故步自封中迷失自我，让我们不能顺利成长。作为家长，我们必须让孩子们知道变化传递给我们的信息，然后作出正确的选择，只有这样我们才能充实饱满地过上自己喜欢的生活，具体应该做到以下几点：

1.让孩子知道世界每天都在发生变化，并让他们学会从变化中获取信息；

2.变化有时是事物发展的催化剂，我们必须引导孩子对某些变化作出正确的判断；

3.培养孩子对变化产生敏感的反应，然后做出正确的行为。

作为孩子应该要做到以下几点：

1.主动探索变化，发现变化，分析变化，这将有利于我们的成长；

2.学会从变化中获取信息，然后提炼对自己有用的信息；

3.变化或许是一个引领我们到新天地的契机，我们要学会拥抱接纳变化。

第9课 / 放眼未来
——罗杰斯写给孩子的第10封信

> 课前引：对于我们来说现在和未来是我们应该重点关注的事情，过去的已经成为过去，一切都不可从头再来，既然这样我们只要懂得及时总结消化过往的经验就可以了，至于现在和未来，我们必须保持理智，避免浪费时间，浪费金钱，消耗健康，把这些重要的资本都投入在对自己有意义的事情上，这才是对自己负责任的表现。

心爱的乐乐：

在我年少气盛的时候有一位经理做的事情让我印象很深刻，他有每天都读早报的习惯，而且眼光很独到，能从这些报道中获取重要的信息，然后及时地采取行动，获得了自己想要的收益。就像有一天他突然对我说："吉姆，你在今日股市开盘后，在A元这个价位帮我买入这只股票，而且一定要在10点前完成，否则就会错过良机。"没想到这只股票之后大涨，为他赚取了不少金钱，至今我对这件事还记忆犹新。因此我们要学会从时事新闻中筛选对自己有用的信息，然后用这些信息合理地推断事情的发展方向，让我们的决定有理可循。

在第一次环游世界后，我把路上的所见所闻都记录下来，写成了一本书。

若干年后，一个朋友兴奋地问我："你为什么能够准确预言这些事情，如民族运动等。"我想说我并不是什么预言专家，不过是一个普通人，同样做着很多人都喜欢做的事情，读新闻。或许只是我比普通人的眼光要看得远一点，所以才能从这些信息中提炼到别人看不到的东西。

另外，从新闻的信息来推断，或许未来100年内会有很多国家分裂，而且国家的数目或许是现在的2到3倍。

我之所以这样说是因为目前我们在每个国家享受的待遇一样的，就像每个人基本都有能力购买汽车，尝试各地的美食，甚至进行文化交流等，所有这些东西时间长了人们或许会产生厌倦的情绪，于是很多人都会想方设法想做些什么改变，于是人们就有可能排斥现在能够共享的东西，甚至会产生叛逆心理，重组国家、划地为王，等等，很多国家就会被分裂。同时，这或许是让人们感觉更安全的方式，因为每个人都希望自己和熟悉的人和熟悉的事打交道，而不喜欢过于创新的东西。

乐乐，作为父亲还想给你提供一个建议，就是不要追捧那些所谓时尚的东西。你应该知道无论这些东西现在看似多么时髦，但不出一年或两年它就会过时，那么你投入的时间和金钱都将变得一文不值了，所以无论什么事情都要注重它的长效性。

另外，现在都倡导全球化，很多东西基本都被统一了，包括语言，像现在人们都把英文作为世界语言，因此在三四百年后，或许那些小语种的语言就会消失，最后全球或许只剩下30种语言左右，如果你不是对那些小语种语言感兴趣，那么不要学习了，因为这对你以后的工作、生活都毫无用处。

估计英文、中文、西班牙文在未来几百年都会历久不衰，如果我们真要投资，就把资本投在看得见未来的东西上。

现在亚洲的国家都面临一个重要的问题，就是男女比例失衡，男多女少。

这严重影响了社会的结构，但同时会为女性带来一个喜讯，就是女性的强权时代将要在亚洲上演。造成这种现象的原因是亚洲人传统的传宗接代思想，他们认为家族的成果只能由男人继承，因此很多人都喜欢生男孩，这些现象在中国、印度、韩国等都特别突出。因此女性的减少导致亚洲未来要面临欧洲曾经遇到过的问题，提升女性的地位，安排更多适合女性的岗位，甚至必须花费一大笔聘金才能娶到老婆等等。这些都会让女性越来越备受尊重，甚至获得的权利越来越大。

或许有些政府想要出台相关的政策阻止这种现象的发生，但很不幸，这种现象已经在社会各个领域蔓延着，无论是经济、政治、法律等等，无一不对女性的态度做出了改变，同时我也为自己拥有两个女儿兴奋极了。

乐乐，世界每天都在变化着，我们要不断地进行适应。但我提早为你们打下了根基，学习英文和中文，这对于你们以后的工作和生活都有很大的帮助。无论世界的地域如何变化，我们都能用自己的能力去适应、去改变，成为生活的强者。要成为强者一定要继续研读历史和学习历史，只有这样，你们才能从历史中看到未来，洞悉先机。

爱你的爸爸

小贴士：

洞悉先机，这要求我们要学习历史、研读历史，并根据历史在时事新闻中提炼可以预测未来的信息。一个可以预测未来的人，从来都不会在生活中吃亏，因为他知道事情的脉络和发展方向，就像那些巫婆拿着水晶球一样。我们都是世界公民，要用世界的眼光去看待事物的发展，就像罗杰斯先生一样，他知道中文和英文的重要性，因此让孩子们在年纪小的时候就接受这两种语言的教育，这将会让她们比别的孩子更早地了解到世界，了解到异国的知识和文化。作为家长，我们也要锻炼自己看到未来的能力，这样才能更好地对孩子进行引导，让他们在变化中淡定地生存。具体应做到以下几点：

1.让孩子们多阅读历史知识及多了解时事新闻，培养他们洞悉历史事件与时事事件之间的联系，然后推断时事事件的走向；

2.当时机合适，我们要和孩子一起探讨之前的定论是否正确，正确的原因是什么，不正确的原因又是什么，让孩子的智慧在总结中成长；

3.引导孩子把重要的资本都投入在有价值的事情上，不随意浪费自己的资本。

作为孩子应该做到以下几点：

1.必须认识到学习历史、研读历史的重要性，另外还要养成阅读新闻的习惯；

2.学会让自己进行哲理性的思考，细心分析新闻事件和历史事件的关联性，培养自己能预测事件走向的能力，为自己作决定提供依据，并把这些行为都变成自己的日常习惯；

3.不要随便把自己的资本投放在那些容易过时的东西上，这只会浪费资本的价值。必须合理利用自己的资本，并让这些资本的价值不断提高。

第10课 / 坚定自己的意志
——罗杰斯写给孩子的第11封信

> **课前引：**每天我们都会被各种各样的信息充斥着自己的头脑，于是，我们就会对自己的决定或判断产生怀疑。但如果我们细心分析一下过往的经历，就会知道一旦自己成为乌合之众中的一员后就很难得到任何好处了。因此，我们必须坚定自己的意志，按照自己的意志实施行动，这才是我们成功的前提。

心爱的乐乐：

凭借我多年的投资经验，我发现人们都喜欢走向那些非常热的市场进行抢购，但这些举动犹如飞蛾扑火，自寻死路。因此，我希望你能够找到别人忽略的东西，这些东西或许正是我们想要追求的。

就像在1998年的时候，我投资了当时被人们唾弃的商品市场，而且他们认为我是不是疯了，因为没看到任何价值会上升的迹象。但我还是按照自己的意志进行投资。当时刚好有一个记者要采访我，问我现时投资什么领域比较好，我微笑着把办公桌上的糖果推向她，然后说："就是这个。"这个记者当时的表情十分好笑，至今我还记忆犹新。事实上，当所有人认为这些方法不可行时，或许这就是一个机会，我们必须要善于把握机会，才能得到别人得不到的东西。

乐乐，成功从来都不会被大多数人看到的，如果每个人都能看到的东西就是不值钱，没有价值的东西。就像我当时投资商品指数一样，很多人都不看好，但几年之后糖的价值上升了3倍有多，因此，反其道而行，才是成功的硬道理。总之，如果我们要进行投资，就找那些无人问津的市场；如果我们要获得事业上的成功，那么就要寻找一个别人看不到的领域，然后动作一定要快，这样才能把握机会，创造成功。

当人们花钱来听我的讲座时，都喜欢问这样的问题："有什么投资产品是稳赚不赔的？""什么时候是这只股票的买入时机？""什么时候是卖出时机？""什么产品在短期内能上升2到3倍？"等等。对于这些问题我都会统一回答："不清楚。"这不是要敷衍听众，而是对他们负责任的表现。如果任何东西都有肯定的回答，相信人人都能成为百万富翁，但有一点我很清楚，就是越能确定的东西，其价值就越低，甚至没有价值。因此，当我们对某个投资产品十分肯定的时候，这绝对不是入市的时机，必须保持理智。

我们每个人都有自己的愿望，但愿望终归只是愿望，不能作为自己行动的标准。如果我们一意孤行，那么我们跟那些大众的思维是没有多大的区别的，一旦成为他们中的一员，这就注定我们不可能成功，不但浪费了金钱，还浪费了时间。

像在80年代的时候黄金的价值暴升，这让很多人都想拥有黄金，甚至认为黄金是与其他产品不同的东西，是只涨不跌的商品。如果真有这种想法的人，注定是投资领域的失败者，任何事物都没有绝对，况且黄金和其他产品没有多大的区别，当其价格上涨时，那些商家就会想方设法把自己的库存全部甩掉，然后大赚一笔，并把风险都转移给消费者了。

所以，当我们看到某些东西倍受追捧时，我们就要变得理智起来，细心分析当中的供求是否平衡，然后再采取行动，这样我们就能避免不必要的损失了。

乐乐，我们还要学会理性分析自己的所得。有时碰着好运气，我们跟随别人投资也能赚上一笔大钱，但这时千万不要自满，一定要停下来思考一下这是不是自己的功劳，然后所有的真相就会浮出水面，让你珍惜这次幸运带来的财富。又或者经过分析，你突然在多头的市场盈利了，这时记得什么都不要做，只要静静地坐下来，然后回想一下自己是怎么分析的，是基于论据的分析，还是一时的头脑发热，这就会让你保持理性，谨慎行动。

我们每个人都有自以为是，自命不凡的时候，但一定要保持理智，克服这些负面情绪带给我们的伤害，否则我们和那些具有从众心态的人没有什么两样，另外，我们还要在每次出发前反复询问自己这是否是轻狂的决定，确定无误才采取正确的行动。

乐乐，遇事切忌心浮气躁，一定要让自己拥有足够的时间进行思考。我们的每个目标、每个行动都是基于客观的论据，并不是人云亦云，只要确定这一点，你就可坚定自己的意志，奋勇向前，抵达你想要到达的目的地，这才是最明智的。

爱你的爸爸

小贴士：

作为社会中的一员，我们很容易就会受到周围环境的影响，能否坚定自己的意志，走出这些影响的屏障就是我们需要学习的人生课题。但能逆其道而行的人可以说少之又少，因为一旦脱离了群体，我们就会感觉很不安全，这让我们丧失挑战的勇气。如果我们能够肯定自己行为的正确性，或许能让自己更坚定些。因此我们作任何决定都一定要有足够的论点支持，只有这样我们才能坚定自己的意志，让自己走与别人不一样的道路。作为家长都希望自己的子女能够独立生活、独立思考、独立行动，但怎样才能培养他们具有这样的能力就是我们需要考虑的事情。具体应该做到以下几点：

1.引导孩子寻找那些别人看不见的地方，这样我们或许就能洞悉这个领域的先机；

2.当孩子们说确定某件事可以做时，我们即使明知道会错也不要过快地予以否定，可以让他们尝试一下，加强所谓"确定"造成的错误印象，让他们反思自己的行为，在挫折中成长；

3.引导孩子不要按自己想象的成功来做出行动，因为任何没有理据支持的行动都是失败的祸根；

4.引导孩子正确对待成功，静下心来分析成功的原因，然后把这些导致成功的因素深印在他们的脑海里。

作为孩子应该做到以下几点：

1.当发现某个东西受到人们的热捧时，立即转身，这是最明智的表现。另外，要学会寻找别人看不到的地方，细心分析研究这个地方能够为自己带来效益，再采取行动；

2.当人们都确定某件事情时，我们要立即抽身，因为通常被确定的事情都没有多大的价值；

3.不要因为自己十分想得到某件物品就失去理智地追求，这只会让自己吃苦果；

4.当我们获得某个方面的成功时，先不要过于激动，尽力平复自己的情绪，思考一下导致我们能获得成功的原因，然后取长补短。

第11课 / 摆脱自负和自满
——罗杰斯写给孩子的第12封信

>　　课前引：当一个人取得某些方面的成功时，就会满足于现状，停滞不前，沾沾自喜。但这样能让我们获得更多的成功吗？聪明的人都知道这是不可能的事情。成功只会青睐那些保持谦虚的人，因此，我们必须摆脱自负和自满对我们的影响，这样我们才能保持谦逊，不断努力，不断更新自己的知识，提高自己的能力，成为一个成功的人。

心爱的乐乐：

　　当我们决定做一件事情的时候，就要专心致志地投入，让自己学习尽可能多的这个领域的知识，为自己的成功做足充足的准备。就像当我打算对某个行业进行投资时，我会在下注以前搜集尽可能多的数据和资料，然后从这些资料中分析一些细节性的问题，当有了充足的论据发现这件事能让我取得成功，我就会立即采取行动。因此我的成功从来都不会是偶然事件，通常都是必然事件。如果一个人打算做某件事而没有做充足的准备，那么他是在赌博，是在冒险。

　　或许女士们对自己感兴趣的东西都十分熟悉。记得我那次到纳米比亚旅行，为你母亲带了一颗钻石回来。当时那个经销商说这颗钻石价值 7 万美元，但竟然被我这个无知的人砍价砍到 500 美元，有没有觉得有点难以置信，难道我的砍价能力十分高超吗？相信没有人喜欢做亏本的生意。事实果真如此，你母亲看了这颗钻石一眼就说："你被坑了。"我当时还不相信，碰巧遇到一个懂钻石的朋友，他看了一眼就说："这不是钻石，是一颗玻璃珠。"所以，乐乐，如果我们从事自己不了解的事情是会有很多风险的，幸好你父亲在这个事情上还会还价，如果真给了那个人 7 万美元，相信我会十分苦恼的。

如果真心实意想要从事自己陌生的行业，那么请你事前一定要把这个行业的知识变得不陌生，否则你会让自己吃大亏，像我一样连钻石和玻璃珠都弄不清，那么怎么从事钻石的行业。说句老实话，我为自己遭遇这次经历感到高兴，因为它再次提醒我不要从事自己不熟悉的行业，这才是一个聪明人应该做的事情。

当我们取得某个方面的成功后，切忌自满自负，一定要保持理智。不妨停下来想想自己都做了什么，我是怎么做的，然后总结经验取长补短再次出发，否则你会在自己的骄傲和自满中吃到苦果。有智慧的人面对生活中甜美的果实总是能够保持理智的，因为他们知道有付出才有回报。

就像我们国家的很多人，他们总看不起其他国家的人，自以为了不起，以为自己操控着世界的命脉。但既然这样，为什么我们不能制造出具有竞争力的商品，经常只是印刷很多的钞票，让美元贬值，从而让自己的商品卖出去。这是一个具有竞争力的国家会做的行为吗？这未免太自负、自满，难道没看到美元不能长期保持强势吗？

乐乐，有时间一定要让自己多读书，只有在读书方面乐此不疲才能发现自己懂得的不是很多，没有任何资本支撑我们自负自满。因此，保持谦虚，不断地学习知识，理解知识，运用知识，那么我们才能不断成长，不断进步。

记得在第二次环球旅行还没有结束时，你爷爷病重，甚至去世了。但我也没有停止计划，依旧按照计划前进。或许你会很疑惑为什么这么重要的事情都不能阻止你前进的步伐。我可以告诉你，因为环球旅行是你爷爷和我的共同理想，我把这次任务完成就是完成我们的共同理想，为了完成这个理想我们没有任何借口，因此，我继续前行，继续完成自己的计划。但在旅途中，我从来都没有间断过和你爷爷通话，因为我爱他、想他，希望他知道我永远都会陪伴着他。而且在通话中你爷爷也坚持让我继续梦想，因为我完成了计划就等同他完成了计划。

　　乐乐，我希望你能过上自己喜欢的生活。在生活中总有很多重要的人对我们有期望，例如我。但我希望你不要被我的期望牵绊，因为每个人都有自己喜欢的东西，你喜欢的就是我喜欢的，你爱的就是我爱的。因此不要因为我有时为了让你过得平顺点而对你进行叮咛而感到困惑，那不过都是我爱你的表现。一旦你发现某些事情值得你去做，你就做吧。我知道在这个世上，能不在意别人而活的人很少，有很多人为了自己的父母、子女、配偶做出各种各样的牺牲，但最后亲密的人都幸福了，而自己却不幸福。我不想你成为这样的人，如果你要这样生活我认为是一种折磨。因此不要太顾虑别人的感受，过你想过的生活，因为我永远都会在背后支持你。

　　乐乐，我很高兴你爷爷是我的父亲，因为他教会我生活，并支持我过自己想要的生活。因此我希望自己也能够做到像你爷爷那样，支持你们，不对你们喜欢做的事做任何评价。在你还在妈妈肚子里的时候，我已经为你准备了一幅地图和一个地球仪，还有一个猪猪钱罐，这些都是我送给你的礼物，希望你能喜欢。当然小蜜蜂的礼物我都会准备的。

　　作为父亲，我想把自己知道的东西都告诉你，希望你了解我的生活，知道人生的追求，知道怎样才能成为优秀的投资家，怎样去爱自己爱的人，怎样去适应这个社会的生活等等。很多东西我都迫不及待地想要告诉你,如果时间允许,我希望一直陪伴着你,让你感受生命的意义。如果将来你有孩子,希望你会把自己的精神结晶传授给他们,让他们感受生活带给他们的快乐。人的一生就像一场探险,永远都不知道下一秒会发生什么,我们能够做好的就是珍惜这一秒,并把这一秒当成是人生最重要的一秒,那么我们就能在有限的时间内实现自己更多的梦想。

爱你的爸爸

小贴士:

人一生的时间都是很有限的,我们必须要学会珍惜时间,弄清楚什么对自己重要,什么对自己不重要。然后对重要的事情进行规划,对不重要的事情果断摒弃,这样我们才能让自己的人生更丰满。但在实施重要事情的过程中我们必须摆正自己的心态,切忌自负自满,一定要保持谦虚、谨慎。这样我们才能保持理智,知道自己能力尚有不足,因而需要继续奋斗,继续追逐自己的目标,锲而不舍。作为家长,我们都希望自己的子女永远抱着学习的态度对待人生,希望他们能够保持独立性,勇敢地过自己想过的生活。但怎样才能培养孩子在这方面的正确认知是我们这一课需要考虑和探讨的事情。具体应该做到以下几点:

1.引导孩子在没有充足准备的情况下,不要急于行动,这只会让自己蒙受损失;

2.当孩子获得一点点成功后,教导他们保持谦虚,切忌自大,这只会让自己停滞不前,甚至倒退;

3.当孩子开始一个准备已久的计划时,适当地鼓励他们,让他们勇敢地追逐自己想要完成的事情；

4.不要过度地把自己的期望施加在孩子身上，尽力克制自己，让孩子做他们喜欢做的事情。

作为孩子应该做到以下几点：

1.当自己对一个陌生的领域产生兴趣时，不要贸然行动，必须准备充分再行动，这样遭受的损失就会减少；

2.当自己取得一点点成果时，切忌沾沾自喜，应该及时总结，保持谦虚，继续前进，这样才有可能获得成功；

3.当自己决定做一件事时，切忌虎头蛇尾，否则只会让自己一事无成；

4.正确对待别人的期望，认真过自己喜欢过的生活，这样才能不枉此生。

篇后语

罗杰斯先生是一位慈爱的父亲，从这11节课中都能看到他对孩子深深的爱。作为一个父亲，他爱孩子，但更希望孩子能够成为一个独立思考、独立行动的人，用自己的能力开创属于她们自己的独一无二的人生。我们不妨学习一下这位优秀的父亲对孩子进行教育的方式，让孩子在这种教育下能茁壮成长，不惧风雨。

在生活中，我们总会与各种各样的人打交道，而他们的行为或多或少都会影响我们的决定，能够在吵嚷的生活中活出自我的人少之又少，我们怎样才能冲出这些吵嚷的环境，活出最真实的自我，这是人生必须修炼的课题。不妨像罗杰斯先生那样，鼓励孩子学习历史，研读历史，这或许能引领我们到达一个新天地。因为太阳底下无新鲜事，历史总是以各种各样的方式重演，这就需要我们保持思考的独立性，从时事新闻中找出事情的特征，根据特征找出相似的历史事件，然后根据历史事件的发展结果推断时事事件的发展方向。这也要求我们要用宏观的眼光看待事情。宏观的眼光能让我们的目光变得长远，放眼未来，根据事件的发生规律，预测其走向。当然不能单靠相似的历史事件对事情进行判断，还要看到别人看不到的地方，找到别人忽略的地方，然后对这些地方进行研究和探讨，这样才能获得支持发展的论据。任何缺乏论据的事情我们都要十分谨慎，切忌盲目地采取行动，这只会让自己陷入万劫不复之地。

我们的生活由我们自己主宰。怎样才能成功？我们就要保持谦虚，保持独立思考，并要学会读书，因为读书能让我们认清自己的能力，知道自己有什么不足，就像别人所说，读的书越多，才知道自己知道的原来是那么少。因此，我们有时间必须多读书，这样才能获得更多的知识，当我们面对考验时，才不至于手足无措。

现代社会是一个全球化的社会，这要求我们不能闭塞自己的眼睛，一定要用世界的目光看待事情，特别是那些世界性的事件。"世界公民"这个词汇越来越被人们接受，并成为很多人公认的词汇，希望大家都不分种族、不分肤色、不分语言、不分国界地进行生活，让我们都能享受和谐、和平的社会氛围，让自己快乐生活。

另外，当我们拥有一些力量后，成功就会变得不是那么遥不可及，但我们必须保持谦虚，切忌自负自满，否则就会变得停滞不前和看不到事情的真相。有智慧的人从来都不会满足于小小的成功，他们知道这不过是人生的一点小成果，因此会善于从这些成功经验中提炼优势，发现缺点，然后把优势变为习惯，想办法克服缺点，为自己下一次行动做好充分的准备。

说到准备，罗杰斯先生还希望孩子们不要随便涉足那些陌生的领域，如果一定要踏入这个领域必须要做好事前的准备，否则，这些举动就会变得十分鲁莽，让自己蒙受不必要的损失。

这就是罗杰斯先生为我们带来的 11 个课程，我们认真阅读吧，相信通过阅读这些课程，我们更能感受到父辈带给我们的人生课是多么的耐人寻味、爱不释手。感谢父辈给我们上的每一堂课，这让我们找到自己，找到属于自己的人生。

第四篇

巴菲特回忆父亲

第 1 课 / 平凡是福

——巴菲特回忆父亲：安于平凡

> 课前引：我们大多数人都是平凡的人，但平凡有平凡的福气，平凡有平凡的好处，我们应该用正确的心态对待平凡。

每次别人听到我进行自我介绍，都会用吃惊的表情看着我，对此我十分习以为常，毕竟与父亲相比我实在显得有点平凡，但我从来不会为此感到不高兴，在我看来平凡是福。

性格的造就和家庭的成长环境是离不开的，而我很庆幸在这样的家庭长大，因为父母传授给我的世界观影响了我对世界的认知，也影响了我学习的态度，甚至影响了我与人们的交往。在我看来，这些世界观不是普通家庭都拥有的，它们是独一无二的，是我生活的明灯。

父亲教给我的第一个世界观是信任。这个"信任"不是单纯地要求我们"信任"他人，"信任"自己，而是要求我们信任世界。

现在想来我的童年生活真是很幸福，人与人之间的关系是信任关系，民风很淳朴，无论走到哪里，你都能遇上让你打招呼的人，而对方也会大声对你进行回应，甚至会进行交谈，虽然说的话语都是日常的琐碎事情，但生活却是十分美好的。

不像现在的人，都把人性扭曲了，他们都相信人性本恶，因此在交往之中总是不能放下自己的戒心，因为怕别人有所图，甚至有点害怕与别人交往，因为不知道自己会遭遇什么。不信任的关系导致人与人之间不能热情地进行交往，在工作中只是同事关系，但很少能够进展成朋友关系，进展成亲密的朋友关系就更困难了。

但在我童年的那个时候，每个人都与自己的邻居相处得非常好，他们相信人性本善，因此很少去猜度别人的想法，也不会觉得有什么利益关系。重要的是，他们除了不这样想，还经常大方地分享自己的食物和见闻，没有人不是对方的朋友，矛盾在这个时代很少发生。

父亲在奥马哈市买了一幢房屋，而这幢房屋陪伴了我的成长，记得这幢房子离我的外祖父母家很近，因此我们经常会到他们那里玩，外祖母是一名全职的家庭妇女，喜欢烹煮食物，而且她自制的冰激凌十分美味，为了让我们充满惊喜，她会在冰激凌里放入很多糖果，这常常吸引着我们。而外祖父是一位仁慈的老人，他经常关心我们在学校的生活，经常问我们在学校认识了什么朋友，学习了什么东西，并且根据我们学习的东西出一些具有趣味性的题目让我们思考，我们总是乐此不疲。

当我们年纪稍大的时候，大概是能够自己过马路的时候，父母就让我们单独去外祖父母家玩，而且十分放心，因为按当时的生活环境来说这不是一件什么危险的举动，反而是锻炼我们独立能力的好时机。而且我们经常在来去的路上遇上熟人，并不会觉得寂寞，他们时常与我们打闹，甚至会亲吻我们。

记得那时候在花园种了几行玉米，这是我们孩提时候的劳动，并通过自己的努力获得了劳动成果，我们经常把玉米分给周围的邻居，让他们分享我们的劳动，感受劳动带来的快乐。

或许你会认为我在说假话，这种诗意般的生活还存在吗？存在，也是我的亲身经历，这也让我对这个世界充满信任，直到现在我还保持着这份信任的心，它让我懂得与人分享的乐趣，也让我知道人性本善，没有多少恶意，要学会认真聆听。

另外，我还知道快乐原来很简单，不需要有太多的物质和奢华，只要懂得感恩，这个世界就会向你回馈你想拥有的笑容。物质不代表一切，只要能够满足生活所需就足够了。至于精神上的快乐，就取决于你自己，你自己是快乐的根源，如果你不能认识到这一点，总是认为世界不公，甚至认为别人与你作对，那么你就不能用正确的态度对待生活，甚至给人感觉有点偏激。

一个人如果信任世界，那么他的精神很多时候都十分富足，从来也不知道所谓的人心险恶。真正的人心险恶也不过是我们对别人不信任的结果。这个世界没有那么多人留意你，每个人都忙于自己的生活，又怎么有时间对你进行算计，即使被别人算计也要你拥有这样的资本才可以，如果你没有资本，凭什么不相信别人。

所以我们必须摆正自己的态度，才能感受生活和世界对我们给予，甚至会觉得感恩，因为自己拥有的已经很多，之所以不能感到满足也只不过是我们的贪念使然。如果我们能够明白这一切，那么我们就能明白生活、明白世界，用充满爱的心去对待世界，那么田园诗意般的生活无论在什么时代都会存在，一切都取决于我们自己。

我的父母除了向我们传授"信任"的世界观外，还要我们懂得"宽容"。美国是一个多民族的国家，每个民族都有自己的宗教信仰、风俗习惯，这让我感到很新鲜。每天都和不同的人打交道，从而了解他们的民族文化和生活，增添自己的见闻，并让自己拥有包容的心，接受他们的习惯和世界观。

社会生活是团体生活，这就要求我们要学会与他人和谐共处，如果我们一味让别人来适应我们，那么我们是一个十分自私的人，一个自私的人从来都不会顾及别人的感受，从来都喜欢以自己为中心。

这对于我的父母，他们是不允许我们拥有这样的行为的，他们认为我们要学会尊重别人，包容别人，不能随意对别人进行否定。

我十分赞同他们的观点，正因为我们的个性和习惯不同，才让别人能够正确区分谁是迈克谁是杰克，也正因为我们每个人都是具有独立个性的个体，这才让我们的生活充满乐趣，如果每个事物都一样，没有任何不同之处，那么相信我们也会觉得生活索然无味，甚至十分枯燥。谁也不想生活一成不变，谁也不想生活不能激发我们的好奇心，谁也不想生活没有半点激情。如果要实现以上的种种就需要我们发挥自己的创造性，提高自己的洞察力，包容和尊重别人的行为。

为了让我们感受其他民族的文化和信仰，我的母亲经常会带我们去参加其他礼堂举办的宗教仪式，因此，我从小就被各种各样的宗教信仰熏陶，开阔了自己的视野，并用开放的心接纳各种宗教信仰。当时间一长，我发现每个民族的宗教信仰都是人类文明的结晶，无所谓对错，这些都不过是民族文化的传承，是每个民族文化的结晶。

母亲包容的心时刻影响着我们，她很少对别人有偏见，总是善于聆听别人的话语，很少对别人予以否定，总是给别人投去理解的目光。正因为有母亲的这些举动影响，我们从来不会随意否定别人，总是尊重别人，并为了尽力了解别人心中所想而不断地学习、研究他们的文化和行为，通过学习我们能更好地理解别人这样做的原因，也知道这个世界没有统一的风俗，每个民族都是文明的创造者，他们都按照自己认为正确的态度去对待自己的生活，没有影响任何人，也没有对别人造成任何伤害。这样，我们就能用自己宽阔的胸怀来面对他们，尊重他们，并理解他们。

我的母亲是一位能干的辩手，她喜欢就别人的观点展开辩论，这也是我们家庭生活的一项很重要的活动。因为当你参与其中，你就能发现每个人都有自己的思想和观点，而且还会让自己不断地思考，想出能够驳倒对方的论点。当然，在我们看来输赢并不是最重要，重要的是能够获得正确的思想，并能激发自己的创新思维，不能局限在现有知识的基础上，而应该要站得更高，看得更远，这样才能让你能力在辩论中激发出来，得到意想不到的收获。

我庆幸母亲和哥哥都是能言善辩的人，正所谓战场无父子，一旦展开了话题，每个人就会充分发挥自己的才干击倒他人，虽然我经常会辩论失败，但从来都不会因此而失去赢的信心，我会认真地学习知识，开阔自己的视野，不断地在学习中提高自己的能力。而且这种活动十分适合应用于家庭，它能让家庭成员都充分参与其中，享受当中的乐趣，并能增进彼此的感情。所有的这些都是包容和宽容带给我们的乐趣，如果我们固执地不接受别人的观点，那么会带来什么效果呢？相信是愤怒、憎恨。没有人会无端地激怒别人，但每个人都有言论的自由，每个人都有属于自己的习惯，只要这些都不对社会造成危害，我们就不应该加以否定，而应该虚心接受，集思广益，这样才能增长自己的才干和见闻。

说到增长自己的才干和见闻，我就想到教育问题了。我们每个人都受到过学校的教育。如你想成为一名医生，当然会花很多心思在医学这个专业上，但我们学到的这些专业知识只能满足职业需要，却不能让我们成为一个博学多才的人。我认为接受学校教育是每个人必经的事情，但至于学什么、怎么学这都取决于我们自己。

在社会生活中要靠自己的能力生存下去，单靠专业知识就足够吗？如果有这样想法的人我认为他的思想十分狭隘，甚至有点自以为是。难道我们不用知道烹饪的知识吗？难道我们不用知道与人交往的知识吗？难道我们不用知道电器的使用常识吗？等等，这都要求我们要不断地学习，学习这个社会的方方面面，这样才能让自己在这个社会更好地生存，才能让自己随机应变。

另外，如果要打造精彩的人生，就离不开学习，从学习中我们总能获得各个方面的知识，满足自己的需要。在这方面我的外祖父对我的影响很深，他很喜欢想问题，当发现一个自己不知道的新问题时，就会翻阅相关的书籍，从而找到答案，获得自己想要的知识。

就像我们美国人都喜欢研究拉丁文，并不是因为它是必修的语种，而仅仅因为我们通过学习拉丁文就能够了解历史，并知道有关词汇产生的根源，这些都十分具有吸引力，让我们不断丰富自己的知识和常识，从而更好地与人进行交往和交流。

在我读书的时代互联网还没有普及，很多知识都只能通过相关的书籍去获知。但我认为这种方式比在互联网搜索要好得多。可以说它会让我们把知识记得更牢，而且当中探索的乐趣是十分玄妙的，让人十分愉悦。

记得在我读书的时代，只要一有问题困扰着我，我就会不分昼夜地寻找答案，很多时候都是抱着书本在书桌上睡着。这或许对健康不是很有好处，但却让我获得寻求知识的乐趣。孩子的好奇心应该是每个父母都善用的特质，因为没有什么比它更能成为孩子们主动学习的动力。我很庆幸自己的父母在我们对某件事物感到好奇时，他们总是不急于告诉我们答案，而是建议我们从《世界百科全书》"查一下"。正因为他们的这些举动才让我为了满足自己的好奇心不断地学习，不断地充实自己的头脑，不断地探索自己感兴趣的事情。

我的母亲是非常关注我们学校生活的人，当然她从来不会要求我们某个科目的成绩要多高，而只会关注我们在学校是否真能学习到知识。

对于很多父母来说，只要孩子们按时上学，学习成绩还可以，他们就不会理会孩子们在学校的生活，对于家长会这些老师和家长沟通的活动他们也只是义务式地参加一下，很少向老师询问孩子在学校做了什么，最近学校在教导孩子什么等等。

而我的母亲对我们教育的关注度或许会出乎一些家长的意料。即使没有家长日，母亲只要有闲暇时间就会到学校，然后站在课室的后面听老师讲课，同时会思考老师的教育方法是否得当，是否能让孩子们感觉通俗易懂。然后就会和我一起回家，问我今日都学到了什么，并且问得十分细致，让我在她的询问中消化了知识，并能清晰地表达出来。她从来都不关注我们考试的成绩，或许是心中有数吧。

学校的学习虽然很重要，但我们除了学习课本知识外，还应该要通晓人性。母亲告诉过我们人性十分复杂，如果要认识并理解人性则不是课本知识能够满足的，我们必须要认清这一点。当然这也不是让我们关注别人的人性，而是让我们了解自己，了解自己心灵深处的想法以及自己某些行为的动机。只有这样才能清楚地知道自己对什么有兴趣，渴求什么，并要用怎样的方式才能满足自己的需要，才能让自己摆脱不合理的欲望，保持客观，认真地分析事情的利弊。

对于我们的很多行为都与我们的人性有关，我们能够理性地把握自己的人性才能更好地把握自己，才能让自己的头脑保持清晰，客观地评论自己行为的对错，从而规范自己的行为，赢得别人的尊重。

同时母亲也告诉我们要学会聆听，因为每个人都有属于他们自己的故事，如果我们能够细心聆听，主动分析就能从中获得宝贵的知识和经验，不要随意否定别人的能力。

另外，因为母亲很喜欢接待那些到我们这个地方游玩的外国人，因此我们经常和各种各样的人接触，这也让我们开阔了视野，更让我们知道世界之大无奇不有。尤其是母亲很喜欢与他们交谈，了解他们的文化、信仰、人文、地理、风俗等，从而让我们也知道学习知识的间接途径，并在她的熏陶下学会与人交往、尊重和关爱别人，并在交往中不断让自己成长。

还有一个属于我们家族的世界观，就是工作态度问题。怎样才算一个好的工作态度，相信不同的人有不同的见解。但工作态度不等于毫无节制地进行工作，即使这份工作你并不喜欢，但为了生活，为了自己不得不加班加点犹如行尸走肉。这种工作态度相信谁也不愿意接受，毕竟工作只是我们的生活内容之一，不过是我们谋生的一种方式，大可不必把所有的时间都投放在这里，这只会让我们的精神饱受折磨，甚至郁郁寡欢。

我说的工作态度是指对自己感兴趣的事情的态度。说到这一点，我的父亲对我的影响可谓非常大。他是大家熟知的投资专家，但父亲之所以能在这个领域取得成就不是因为他喜欢金钱，而仅仅是因为对这个领域感兴趣。

我记得父亲经常一个人在书房里研究有关投资的知识，特别喜欢《价值线》和《穆迪投资》这两本书。因为感兴趣他从来不会简单地把书中的内容读一次就算，而是不断地反复阅读、斟酌，并理解书中的知识。因为他长期应用书中的知识，或翻阅书中的内容，因此这两本书都被他翻得十分残旧，可以说是面目全非。另外，他还会在阅读中进行思考，并把想到的知识和观点都很好地记录下来，单单是这两本书的手札都有几百甚至上千张。

我说父亲的这件事情不是为了让人们觉得他的成功是得益于这两本书，而是想告诉大家当你对一个事情感兴趣时，你就会把自己的精力都投放在这件事情上，并不断地进行探索、总结，然后应用于实践，在实践中分析自己的优点和缺点。并在保持优点的前提下，想想改正缺点的办法，只有我们不断地重复这些动作，那么才能把这个领域的知识化为己有，甚至超脱了这些知识，发挥自己的主观能动性对这些知识进行升华和创造，这才形成了一套专属于我们的理论和知识，这些都是别人难以效仿的。即使他日我们身败名裂，身无分文，我们也能用自己的这些无价之宝让自己东山再起。

每个人都有自己喜欢和感兴趣的事情，但应该用什么态度对待它们是我们要认真研究的课题。像我的父亲，他喜欢投资领域的知识可以说是到了一种忘我的境界，我们经常看到他从书房走出来会客都忘记自己穿着的是短裤和内衣，并不是他不注重自己的仪容仪表，而仅仅因为忘我的研究让他忘记自己所处的状态。

在旁人看来,这一切都十分枯燥无味,甚至让人觉得有点疯狂。如果有这样想法的人只能说明他从来没有为自己的兴趣疯狂,甚至从未体验当中的乐趣。这些乐趣是金钱不能买来的,只有当事人才知道当中的价值。况且,当事人之所以进行这项活动并不是为了挣钱,而是单纯对这个领域感到好奇,甚至在自己的好奇心中不断地发现事情的乐趣,获得常人不能体验的经验和知识。如果他们不是因为兴趣而是因为金钱,相信很快就会对这些事情感到厌烦,因为一旦人们的追求被物质同化了,那么这个追求就变得毫无意义,甚至让人感觉十分疲倦。因为在他的眼里只看到物质,不能看到事物本身的精神和价值。

我们人类就是这样一种奇怪的动物,虽然解决温饱是第一需要,但当这个问题解决后我们就很少被其他物质吸引,而是喜欢追求能实现自己价值和能力的领域,让自己不枉度此生。

健康的工作态度能为我们创造无形的财富,这些财富是不能用货币单位来衡量的,它们是无价的,是我们的精神产物。但凡经历过重大经济挫折的人,都会发现虽然自己实质的货币财富已经被社会没收,但精神上的财富却没有被没收,并且这是我们东山再起的重要资本,让我们在最短的时间内重获物质的富足,甚至高于往时。

健康、有价值的工作态度应该受到我们的追捧,只有这样我们才能保持对生活的热爱,才能设计专属于我们的人生。

小贴士:

家庭的教育是对孩子影响十分深远的事情,从这一课中我们发现巴菲特和妻子经常参与孩子的活动,关心与孩子有关的事情,从而引导他们拥有正确的世界观。作为家长，我们不妨向巴菲特夫妇学习，尊重、理解孩子的行为，并善于利用生活的环境和内容对孩子进行教导，让他们健康快乐地成长。具体应做到以下几点：

1.教导孩子"人性本善"这个道理，让他们乐于与人交往，并享受交往带给他们的乐趣；

2.信任孩子，让孩子独立完成力所能及的事情，并消除对新事物的恐惧；

3.多让孩子接触不同的人或物，让他们用宽阔的胸怀接受事物之间的差异，尊重别人与自己的差异，从而让他们用宽容的心对待人和事；

4.当孩子们拥有好奇心时，则是促使他们主动学习的好时机，让他们享受主动学习带来的乐趣；

5.当孩子们对事情感兴趣时，不要按照自己的意愿阻止他们研究这个事情领域的知识，应该让他们发挥自己的主观能动性对事情进行研究，不随意插手，充分让孩子拥有独立性。

作为孩子应该做到以下几点：

1.信任别人对自己没有任何恶意，并主动与人交往；

2.自信自己能够做好某些事情，并学会主动要求独立完成；

3.尊重别人与自己的差异性，善于与他们沟通，从而学习属于他们领域的知识，增长自己的见闻；

4.当对某事产生好奇心时，先主动探索，如果实在找不到这方面的内容时，再向别人求助；

5.当自己对某个领域感兴趣时，大胆地探究这方面的知识，这将会为你带来不菲的价值。

第 2 课 / 你能听到自己的心声吗?
——巴菲特回忆父亲：是否真有"机会平等"这件事

> *课前引：所谓的"机会平等"存在吗？每个人在某些时刻都会发出这样的疑问，但我们又能因为别人的境况就先入为主地认为别人被这些所谓的"机会不平等"制约吗？所有的问题好像都没有确切的答案，但人们的行动却能很好地回答这些所谓没有答案的问题。*

在社会生活中，我们经常听到"机会平等"这些字眼。但对于这个词我真有点心有余悸，毕竟我们即使来自同一个国度也不能保证大家面临的客观条件是一样的，如果面向全球，这个观点就更难让人接受。

政治权利平等、医疗卫生条件平等、就业平等、教育平等……很多东西都被冠以"平等"，这不免会让人产生社会环境是公平的想法。但纵观我们的周围，每个人的出身都很不相同，有的人出生在富裕的家庭，有的人出生在知识分子之家，有的人却出生在贫穷的家庭，有的人能够顺利地接受教育，有的人为了接受教育不得不身兼数职等等。这是很常见的社会现象，但这些现象很容易就会让有些人的心理不是很平衡，为什么自己要工作才能接受教育，为什么我的父母只能生活在社会的低下层，甚至有的人会埋怨为什么我没有做律师的父母等等。这些都看似是因为不公平、不平等造就的社会现象。但如果能够细心分析，或许这不是"机会平等"的全部含义。

从我们很小的时候开始，母亲经常会带着我们去拜访生活在社会不同阶层的人，虽然我们的生活不是很富裕，但母亲都会力所能及地给予别人帮助，并喜欢询问他们的近况，了解他们的需要。因此，我们很早就受到这方面的教育，每个人的出身都不尽相同，但我们要学会弱化这些不同点，因为对于客观存在的条件，我们一时半刻是很难通过自己的主观意识去改造的。当我们为这些条件感到无力时，不妨先接受它，并弱化它对我们的影响，让自己保持心灵的健康。

在每个人的心里，多少都会被这些条件充斥着自己的神经，但这都不是造成我们敏感的主因，而是周围的人很少关注他们的内心，没有听到从它们那里发出来的声音。这些声音与出身无关，仅仅是人类的某种精神需求。这些精神需求有时不是自己想表达就可以表达的，它受到很多因素的制约。如客观的大环境，又如自己生活的条件，又或者是家庭的客观环境等。

我的父亲很早以前就认识到这一点，尤其是他游历过亚洲的一些发展中国家后，对这些现象的认识就更加深刻。因为他看到那里的公民为了谋生，竟然没日没夜地在工厂和耕地里劳作，没有一点私人时间，即使这样努力还食不果腹，直至把他们的理想和愿望都磨灭掉，认为这些都是人类思想的奢侈品。每个人都有自己的天赋和潜能，但因为客观环境的影响导致很多人不能把自己的能力充分发挥出来，用父亲的话来说，在那些劳作的人们中不知有多少个盖茨和多少个巴菲特，但因为条件环境因素制约了他们才能的发挥，最后不得不放弃自己的梦想，平凡简单地度过自己的这一生。

人们的能力和潜能因为客观条件的制约导致不能顺利发挥，因此也制约了这个世界的科学和文化的发展，不知多少的发明家和哲学家等被埋没在这里。因此说"机会平等"其实一点也不平等，但这种不平等不是我们的主观意识能够改变的，这样我们就不得不对这样的环境妥协。但这不能成为阻碍我们发展的借口，条件是可以创造的，怎样创造就是我们需要思考的问题。利用自己的优势吗？接受他人的帮助吗？还是其他我们想不到的问题。

这个话题可以说十分宽泛，不同的人有不同的答案，因此很多时候都很难统一起来，甚至觉得有点多此一举，但无论怎样，任何问题都有解决的方案，全在于我们能否挖掘。

就像我在前文所说，可以像我母亲那样尽自己的能力给予别人帮助，人性本善，我们只要细心观察就会发现这个世界拥有善心的人有很多，但能否正确对待自己的善举就另当别论了。因为每个人都被自己狭隘的思维所制约，对别人有一种偏见，特别喜欢把别人的状况和他的本性混为一谈。抱有这样想法的人是一个十分主观的人，因为他只看到事物的表面现象，却看不到事物的本质。我们每个人都有自己的价值和尊严，但如果我们不能清楚地认识到这一点，就不能把遭遇的人或事看得非常透彻。

就像我们对某些人给予物质上的帮助，如果因为自己帮助了别人就自以为是地认为自己高人一等，那么你的这些举动不是一种在尊重别人的基础上给予的善举，仅仅是为了显摆自己拥有"爱心"而实施的一种行动。还有一种人，他们表面上"乐善好施"，但他们实施这种举动是为了让人们称赞他，或想获得一定的名誉。对于这种人的这些行为，我认为他们是虚荣的、自私的，因为他们的给予是有目的的。一个真正拥有善心的人从来都是不求回报的，甚至他们的贡献都是默默无闻的。

另外，有的人认为自己很了解人类的本性，总喜欢用自己的主观意识去猜度别人的需要，但殊不知他的认知是十分肤浅的，甚至有点不符实际。因此，当我们看待有些人或事物时不要抱有太多的主观态度，毕竟人的本性没有你想象的那么简单，我们一定要学会保持客观，保持中立，这样才能把这些人和事看得更透彻。

为了让你们对我以上说到的观点理解得更清楚，我想说说发生在我朋友身上的一件事，希望我们都能从中学习并理解这些观点。

我的朋友生于一个工薪家庭，但父母很注重他的教育，只要与教育有关的事情，他们都会给予支持，因此这让我的朋友很有优越感。同时，他又是一个拥有独立性的人，在大学期间做了很多兼职也获得了多次奖学金，这让他更自信，因为一个能够自力更生的人从来都不会惧怕与别人竞争，甚至面对竞争会十分自信和果敢。虽然这一切都让他感觉很有优势，但在儿童援助协会兼职却否定了这些优势，因为他发现所谓的优势和你拥有的经济条件和受教育程度是无关的。

儿童援助协会位于曼哈顿东村，在我朋友读大学的时候，这里还没有发展起来，人们的居住环境十分恶劣，周围都是垃圾，什么废旧床垫、废旧汽车、废旧零件在这里都能找到。而且这里经常是罪案的高发区，很多人吸食大麻、海洛因等毒品，学校教育条件差，可以说这里的人一点也不重视教育。因此生活在这里的儿童可以说没有一点竞争力。

我的朋友很想帮助他们，毕竟他们的年纪还那么小。但每个星期只能和他们接触8到10个小时，如果想一下子对他们都有所了解是十分困难的。因此，朋友试图想通过他们的共同点对他们进行教育，但后来发现这种方法实在是太片面、太主观、太不切合实际。因为他被他们所谓的"共同点"——贫苦蒙骗了。

虽然他们生活的环境是都十分恶劣，但因为遭遇的经历不同，导致他们的本性十分不同。像有的孩子很喜欢与我的朋友亲近，细心了解才发现因为他们没有父母；而有的孩子却十分怒视、排斥朋友，这与他们的父母是罪犯有关；而有的孩子却喜欢独来独往，做自己喜欢做的事情，不喜欢任何人干扰自己；有的却很喜欢读书，只要有书万事足；有的却认为呆子才读书，读书是毫无用处的，等等。因此，虽然他们的物质条件都很贫乏，但他们内心的需要都不尽相同，这些都震慑着我的朋友的心灵。

后来，我的朋友在一家私立学校任职，这家学校每个年级都有一个特殊的班级，专门用来接收那些富人学生，但这些学生除了富有是共同特点外，其他方面可以说是没有任何交集。我的朋友经过与他们相处一段时间后发现这里的学生和儿童援助协会的学生很相似，没有父母的人很喜欢别人安慰他疼惜他，那些被父母经常"教育"的人很没有安全感，总认为别人想与他作对，还有的孩子父母因为经常忙于公职，很少与自己的孩子进行交流、沟通导致他们为了引起别人对他的注意而不断地滋生是非，甚至处在开除的边缘。

因此，一个人的需要和贫穷富贵无关，却与他们的经历有关。那些在常人看来的优势不过是在物质上的一点优势，他们不用担心自己的衣食住行，但却与贫穷的人一样遭遇内心需要的折磨，甚至很多的心理需求都是相似的。就像父母吸毒犯罪的孩子和父母经常对他们进行打骂的孩子，两者都十分怒视周围的人，总认为别人不安好心，做的每一件事都是十分虚假的，因此他们都十分排斥他人，害怕别人会伤害自己。

因此，我们不能根据别人的境况就对别人进行评价，这是大错特错的行为，甚至会让你触犯不可饶恕的罪恶。家庭才是对孩子们的心智影响最大的因素，良好的家庭教育能促使贫穷的孩子力争上游，争取实现自己的人生价值。而失败的家庭教育也能导致那些所谓富有家庭的孩子对困难产生妥协消极的情绪，最后侵蚀了人生价值的实现。因此，无论机会多不平等也不意味着具有"优势"的人才能获得成功，我们要学会按照客观实际对待事物或人，这样才能对事物或人作出正确的评价。

朋友回忆说，在这两次经历中他都想对这些"问题"孩子给予帮助，但发现自己根本没有这样的力量，如果要解决这些事情，他还需不断地锻炼自己的能力，学习更多的东西。而且，通过与他们接触他发现自己那些所谓的"优势"根本不算什么，因为他看到贫穷孩子拥有的某些力量是他没有的。如那些贫穷的孩子，他们面对挫折不屈不挠，甚至十分果敢，不畏困难，努力地走上自己想要走上的那些道路。坚毅的意志在他们身上发挥得淋漓尽致。而那些富有的孩子，父母每年都为他们能够接受教育而支付3万美元，但这些所谓的"优势"却没有被他们加以利用，甚至认为理所当然。但内心却不断地被不安全、不善意、有目的等心理疾病折磨着，导致自己的才能不能顺利发挥，甚至让自己一蹶不振，一败涂地。因此，我们不能单凭别人表面的现象而对别人进行同情和帮助，而应该学会走进他人的内心，了解他真正的需求，然后再采取必要的行动。真正的帮助应该是建立在了解并理解别人需要的基础上的，这与他们外在的优劣势无关。

因此，我们的生活条件的优劣性不是决定我们成功与否的重要因素，这些都只决定了我们的起点，在走向终点的过程中，如果我们为自己导航的方向错误，那么我们就有可能把自己的优势变为劣势；如果方向正确，那么就有可能把自己的劣势变为优势，所有这些都取决于我们的心态。只要心态正确，我们通往终点的路上一直都会有明灯照耀，让我们看清路况，勇往直前，成为耀眼的明星。

当然，我们不能否定先天优势对我们的帮助，家庭的教育主要是父母的教育和影响，一个成功的父亲或母亲对孩子总是具有影响力的，而如果他们能对孩子进行耐心和有意识地培养的话，相信孩子们也能成功继承他们的衣钵，甚至获得的成功会在他们之上。

像肯·小葛瑞菲是一名出色的棒球手，但他的成功离不开自己父亲的有意栽培和熏陶。他的父亲是一名大联盟棒球手，而且也属于比较出色的那种，从小就带肯·葛瑞菲观看棒球赛和训练他的棒球技术，甚至在其他场合受到父亲队友们的熏陶，最后把棒球技术掌握得非常优秀。当他第一次上场比赛的时候，很多人都怀疑他的实力甚至不如他的父亲，因此而议论纷纷，但当他在球场勇猛奔跑时，人们不由得被他的技术和速度震撼，最后赢得别人的尊重和掌声。又如凯特·哈德森是歌蒂·韩的女儿，不但继承了母亲的好样貌，而且还占尽优势的地理位置——好莱坞，当人们想用这些条件对她加以抨击时，她在舞台上表现出来的表演实力让那些想抨击她的人变得哑口无言，甚至认为她的能力在母亲之上。因此，所谓先天的优势有时看起来好像十分重要，但能否把这些优势发挥得淋漓尽致甚至超出先天优势，全在于使用这些优势的人。一个人如果能为自己的理想不断努力，不断奋斗，坚持不懈，那么他就能获得自己想要的果实，这与先天优势无关。

在此举一个相反的例子，西纳特拉先生是一位出名的音乐家，他能为自己的子女提供优厚的资源，丰富的音乐知识，但他的孩子们并没有因为这些优秀的条件继承父亲的音乐细胞，无论怎么努力都不能达到父亲的能力，更不要说超越了。所以，先天条件只是让我们比别人节省了一点时间和少受一点磨炼，但却不能保证我们成为优秀的人，一个人没有这方面的能力，无论他怎么努力还是会失败的。

人们的成功和失败没有太多的标准，很多时候都是在比较中产生的，但我们不要受这些因素的影响，当我们想要发展一些事业时，不妨与自己来一个说真心话的对话。问问自己有没有这方面的兴趣，问问自己有没有想过在这方面发展，在这方面发展是不是能够发挥自己的才能，并问问自己有无这样的时间去试验等等。只有这样，我们才能认清自己，了解自己心中的需要，了解自己能不能不被别人左右，成为想要成为的那个人。

就像我，很多人都说我是巴菲特之子，为什么不从事投资这个行业，或许能在父亲的影响下成为一位优秀的投资家。我也曾经想过这个方面的问题，但我发现自己对投资这个领域一点兴趣都没有，因此果断放弃。至今我也没有因为自己的这个选择而后悔，我反而庆幸自己有这样的勇气，冲破思想的禁锢，从事自己喜欢的行业。

如果我当时选择了投资这个领域，我不敢想象现在的我究竟是一个怎样的我。或许我即使不能超过父亲，也能在华尔街谋得一个好职位，毕竟我是巴菲特之子。又或者成为某间公司的理财顾问，并有可能不会失业，因为看在父亲的情面上也不会把我辞退，等等。

但说句老实话，别人想到的这些我也能想到，而且如果我对这个领域感兴趣，即使我不是巴菲特之子也会选择学习研究这个领域的知识，像我父亲那样，坚持不懈，乐此不疲地研究学习，成为这个领域的天才。

因此，我们的路只由我们去走，别人对我们的影响是很少的，我们要学会尊重自己的意志，只有尊重自己意志的人，才能在自己喜欢的领域取得想要的成果。没必要把什么"机会不平等"作为自己的借口，如果你真这样做，那么你注定是一个庸才，是对社会没有贡献的庸才。

小贴士：

每个人都有自己要走的路，路上有很多美丽的风景，而且这些风景对于每个人都是一样的，但能否善用这些风景，或用正确的态度去看风景就全在于我们自己。我们都是一个独立的个体，每天都接受环境对我们的教育，但显得十分重要和对我们影响最大的是家庭环境教育，作为父母如果不能正确引导孩子对待事物的态度，或不能引导他们拥有正确的世界观，那么就等于亲手把自己的孩子毁灭掉，最后使孩子陷入万劫不复的境地，为了避免这些情况的发生，作为家长应该做到以下几点：

1.如果条件允许，尽量抽时间和孩子展开心灵的对话，认真聆听孩子们的需要，然后有针对性地进行引导，让孩子感受到你对他的尊重；

2.要多留意孩子们的情感，很多时候都不过是想受到你的关注和爱护，而你尽量满足孩子们这方面的需求，这比你为他提供更好的物质条件要好很多；

3.清楚地认识到客观的物质条件不是决定孩子能否成为优秀人物的关键因素，家庭环境和家庭教育才是最重要的因素；

4.学会引导孩子认识并理解第3点，让他们不用肤浅的眼光看待自己的境况，应该从自身出发实事求是地追逐自己的目标。

作为孩子应该做到以下几点：

1.把自己内心的诉求大胆地说出来，让父母知道你最需要的是什么；

2.主动与父母进行心灵上的沟通，并清楚地表达感受，让自己把思想的负担都释放出来；

3.当家庭条件不是很丰裕的时候，要学会激励自己，让自己从身边的事情出发，逐步提高自己的能力，增强自己的自信；

4.对自己感兴趣的事情要学会毫不犹豫地进行了解，然后坚定自己的决心，坚持不懈地努力奋斗，那么你渴望的成功总是会来拜会你。

第 3 课 / 选择的迷宫
——巴菲特回忆父亲：喜忧参半的选择

> 课前引：在孩子们还没有成年的时候头脑中总是有很多梦想，甚至有些梦想会让他们失去理智地为之疯狂，并作出让所有人都十分惊讶和担忧的决定，但这是一件坏事吗？

父亲对投资这个领域十分感兴趣，因此工作起来总是乐此不疲的，甚至有时会让人感觉到了疯狂的程度。受父亲的影响，我也想尽早享受工作带给我的乐趣，并积极地研究自己喜欢的工作领域，并想在这个领域一展所长。

另外，我的母亲是一位充满好奇心的人，总喜欢研究探索那些新领域，并不耻下问，就像一个小孩子一样，对所有的事物都十分好奇和有兴趣。母亲也很喜欢与别人交往，在这方面总是乐此不疲，总能认识到很多新朋友，而她的朋友们也很喜欢她，认为她是一个懂得尊重别人和善于聆听的人，因此经常与她说一些交心的话语。

父母们对自己感兴趣的事情都很清楚，并能在这些方面发挥所长，但我却没有他们的淡定和理智，在选择面前会犹豫不决，甚至茫然不安。

我曾经打算不完成高中的课程去发展自己感兴趣的摄影专业，因为在十几岁的时候我迷上了摄影，我认为摄影或许能为我开启新的生活篇章，因此内心总为这个事情躁动不安，甚至觉得这是一件必须要完成的事情。

我读高中的时候曾经参加学校的校刊摄影，作品也被刊登出来，而且我也在报社当过暑期工，了解摄影的技巧。对于当时的我来说，我认为摄影能实现人生的价值以及带给我各种乐趣，而我对那些专业课程不是很感兴趣，音乐在那时不过是我业余的爱好，并没有什么特殊之处，而且我总是希望自己能尽快独立，让我享受成年人拥有的快乐。因此辍学的念头经常在我的脑袋里产生，而且十分强烈。但碍于我的年纪不是很大，而且也担心父母会进行阻止，因此即使很强烈也没有让我立即采取行动。

或许你们会认为我实在不成熟，高中课程还没有完成的人算什么好家伙，辜负父母对自己的期望，甚至严重影响以后心智的发展。但我想说，当时我照出来的照片的确有它的艺术性，而且也在一些报纸杂志刊登出来过，这不正代表我有学习这方面专长的能力吗？因此即使我真在当时选择辍学，相信也能找到一份合适的工作并发展自己的所长。这些都是我个人的推断，能否真这样发展就不得而知了，毕竟我现在走的路与那时的计划一点联系也没有，再加上父母当时虽然没有明令禁止，但据我对他们的了解也知道他们不希望我这样做。

在这些事情上，虽然表面上选择权在孩子手上，但父母绝对有权参与这个选择的过程，毕竟他们是我们的监护人，同时也是我们人生的导师。但至于他们的权限有多大，影响力有多深这就取决于这个家庭的文化了。

巴菲特家族对孩子是没有多大的约束的，他们总喜欢让孩子干喜欢干的事情，也很少插手他们的事务，让他们在各个方面进行自由选择，只要不违背道德，不违背法律，可以说一切都没有问题，关键是你自己一定要喜欢，而且认为有价值。

但人生真是这样简单吗？真可以这样随心所欲吗？

理智思考一下你会发现事实并非如此，表面上我们都自主地拥有自由的选择权,但有一条隐性规矩是每个家庭都有的,就是父母都对自己的孩子抱有期望,并希望孩子们按照他们的期望进行选择,这样,他们就会对你很放心。而我因为清楚地认识到这一点,因此,即使他们有时候没有明确表示反对,我也会识趣地按照他们期望的去做,而这一点或许已经成为我在面对选择时的习惯,因此,我又打消辍学去从事摄影职业这个念头。

我知道,对于他们来说摄影不是一件什么坏事,但对于一个未成年人来说这有点太草率了。作为父母肯定不想让自己的孩子过早地投入社会,毕竟他们的心智还没有成熟,而且接受教育是现阶段最重要的事情,没有什么事情比这个事情更重要了。因此,他们在你进行这些选择的时候即使不会明确表示反对,也会用他们的表情表达内心的不安。

因此,在犹豫不决中我选择了继续自己的学业,毕竟我很尊重我的父母,而且理智也告诉我没必要违背他们的期望,毕竟这些年我按照他们的期望行走也没有得失过什么,甚至超过他们的期盼,对于这些我都感到很自豪。现在想来,我认为当时的决定是正确的,事实上对于一个心智还不是很成熟的人来说,接受教育是一门必修的课程,因此我也不为这个选择而后悔,即使我知道母亲对我做的事时,虽然有点不高兴,但理智也告诉我当时的选择没有错,只是不太赞同母亲用这种方式来影响我。

事情是这样的,或许母亲为我有这样的想法感到很担忧,因此到学校找到我的宣传部老师,希望他能邀请我参加高中四年级的毕业影集制作工作。于是,在我不知情的情况下老师找到我,并邀请我参加这项工作。的确这项工作对于当时的我来说很有吸引力,甚至打消了我辍学的念头,因此,我坚定了自己的意志继续学业,帮助老师完成影集工作。

但后来当我知道母亲是这件事的主要策划人后,真有点气愤,虽然她做的一切都是为了我,但我十分不愿意她和老师通过这样的事情来影响我的人生轨迹，即使这个轨迹未必正确。难道决定这么小的年纪从事摄影真是这样糟糕吗？难道我自己的头脑不能给予我一个理智的答案吗？难道我在你们的心中真是如此幼稚吗？各种各样的问题不断地充斥着我的头脑，即使在35年后的今日，我依然都被这些问题困扰。但理性告诉我母亲的干预是正确的，因为如果当时没有继续完成高中学业，我或许不能发掘自己真正感兴趣的领域，甚至不能成为现在的我。

如果要我对这次事件进行一次总结的话，我会感到很抱歉，因为我不能总结出来。这说出来有点好笑，但父母和子女之间能在这些问题中过多地进行计较吗？父母很多时候都没有错，但难道孩子错了吗？他们也没有错，拥有梦想是好事，这是毋庸置疑的，只是理想的实施是不是合适的时候，这才是我们需要思考的问题。

作为父母肯定会对孩子的行为进行干预，但干预的程度也会影响孩子对事物的看法，因此必须要把握这个度。作为孩子，当然想随心所欲地干自己喜欢干的事情，但想干的事情必须符合实际才行，如果不符合实际也应该果断放弃。因此，在亲子关系中，很少能够用对错来对事情进行总结和归纳，一切都是要根据当时的客观条件和客观实际来进行判断，也只有这样，我们才能把握事情积极的一面。另外就是彼此之间的理解和体谅，要学会换位思考，这样才能避免矛盾，才能理智地分析问题、评价问题。这也有利于父母和孩子之间关系的发展。

当然，我很高兴当时老师邀请我参与影集的制作，他让我对编辑和摄影有一个更好的理解，并明白当时自己有这样的念头不过是一时的头脑风暴，为此我也很感谢自己能有这个经历，让我看清自己所谓兴趣的本质，并让我的学业得以继续，造就现在的我。

相对于我高中打算辍学这个计划，有一件事也对我产生了很深远的影响，而且涉及这个社会的一些灰色地带，但个中的利弊应该怎样去权衡我真是无法知晓，只知道自己的这次经历产生的影响。

我说过在我童年时候我的家庭不是很富裕，但当我到了要上大学的年纪，父亲的名字已被社会各界的人认知，而且只要听到巴菲特的名字就会产生尊敬之情。也因为如此，父亲想利用他的关系把我弄进斯坦福大学。而且当时还有《华盛顿邮报》发行人凯瑟琳·格雷厄姆的推荐信，因此我轻而易举地成为斯坦福大学的学生。

我也记不清当时自己是出于怎样的心态，竟然答应到斯坦福大学上学。是顺从？是虚荣？是懒惰？所有的问题我都不能找到答案了，或许觉得到斯坦福大学进修也是一个不错的选择吧。

对于这种社会现象其实真是很常见，毕竟学校的资源和收入有限，它需要自己的校友或其他社会人士的资助，也出于这些原因，他们通常都会预留一些学位，为这些人提供便利，让他们享受提供资助的便利。当然，我们这次的课题不是为了讨论这种制度应不应该存在，或公不公平，仅仅是想讨论一下这些制度存在对孩子们的影响。

斯坦福大学是很多学子们追求深造的地方，但似乎我不懂得珍惜，读到第三个学期的时候我就毅然选择退学了，其中的原因不太符合这次的课题，就暂且放下。但或许与我总认为自己没有资格进入斯坦福大学接受教育有关。

这个问题经常困扰着我，因为说句坦白的话，我的学习成绩都在这些通过正常入学手续的人之下，因此我时常怀疑如果没有父亲关系的帮忙，我能靠自己的能力成为这里的学生吗？我的能力能和这些经常拿满分的人相比较吗？

但这些问题从来都不曾有过答案，因为当我发现自己是靠关系进来的时候，就感觉自己是靠背景关系，不是靠能力，总觉得周围的人都因为这个原因经常向我投来异样的目光，这让我感觉十分难受，而且有时觉得自己在面对这些人的时候没有了以前的自信，经常被这些因素困扰着我的头脑，让我有点失去理智。

难道父亲的帮助是错误的吗？这显然不是，哪个父母不喜欢利用自己的资源为孩子创造优势，在优秀的学校接受优秀的教育是父母们希望能给予子女的。但扪心自问，他们的这些行为全部都是为了我们吗？难道就没有他们的一些自私的想法吗？即使就像和朋友们谈论起自己的孩子，与其说他高中未毕业就投入摄影行业成为摄影师不如说他在斯坦福大学接受教育要有面子得多，至少也证明将来这个孩子的前途要比摄影师高很多。每个父母都希望自己的孩子是最优秀的，是别人羡慕的，但却很少聆听孩子们真正需要的，甚至把孩子们的人生轨迹都安排好，只要听命于他就好。

但每个孩子都有自己的想法，无论多么单纯甚至幼稚得可笑，也是一个生命的思考，父母们对他们的这些渴望和需求都忽略掉，这就是对孩子们的不尊重。让孩子得不到想要的尊严，那么他们就很容易变得自卑。

我不是想指责任何人，而仅仅是在就事论事，并希望引起父母们的反思。

当然，在斯坦福接受教育不是一件坏事，这是毋庸置疑的。我记得自己当时很兴奋，因为这里有很多我想要学习的知识，而且这里也为我学习这些知识提供了必需的资源。另外，当时我对自己的兴趣不是很确定，对很多科目都感到很好奇，因此只要时间和条件允许的课程我都会报读，这迅速宽泛了我的智慧，让我掌握了很多学科的初级知识，从而了解到社会中存在的各种现象。

这些也得益于我的家庭教育，我的父母从来都不会限制我们要学习什么，而是喜欢我们用宽阔的胸怀接纳这个社会的方方面面，这就让我们在学习方面充分享有自由和权利，也让我享受了学习带来的快乐以及让我保持兴奋和好奇，促使我产生自主学习的动力。

在斯坦福大学接受教育期间，有一件事让我了解到自由的难能可贵。

那天我经过一条走廊,看到一个认识的女同学在讲电话,但说话的语调有点不太正常,为免有偷听的嫌疑,我决定用最快的速度走过。但没想到这个同学放下电话后主动走到我的身边,但眼睛充满泪水,让我手足无措,毕竟我不是一个很会安慰别人的人。

然后她带着哭腔说:"我很高兴,真的,父亲同意我可以不用学医学专业了。"为此,我可以说是大惑不解,但她说,父亲希望她成为一个医生,因此在进入斯坦福大学以前,所有的事情都为学习医学做准备,但真正学起来,她感到力不从心,根本无法理解书中的知识,如果一直这样学下去不但浪费了自己的时间,还有可能影响毕业,毕竟她在医学方面的理解力真是很差。

我听后也为她感到高兴,因此关心地问她以后有什么打算,她说父亲同意她学习法律,成为一名律师。为此,我为她高兴之余同时也感到疑虑,毕竟我从她的话语中知道她学习什么都需征询过父亲的意见,父亲同意了才会去做。但难道没有了父亲的支持我们就会一事无成吗?相信不会,只要我们足够自信,大可以选择自己感兴趣的方向,也只有这样才能激发我们的潜能,让我们享受追逐成功的过程。

这位同学或许认为父母带给自己的优势只有遵循父母的引导才能得以发挥,但我们是人,是人就能发挥自己的主观能动性,能分清事情对自己的利弊。我们大可以利用这些优势去学习自己真正想学习的东西,如果你想成为一位音乐家,你大可以利用这些资源去学习音乐,但能否成为音乐家却具有不确定性,因此,她的父母虽然为她创造了优势,但却利用这些优势限制了她的发展,他们希望她能从事稳定、高收入、甚至能赢得名誉和地位的职业,而不希望她浪费时间去学习那些看似很光鲜,但却具有极大失败可能性的职业。因此,她只能做父母为其安排的事情,这样才能确保她不会受伤和不会失望。

但这是我们追求的人生吗?这是我们要实现的人生价值吗?这是我们喜欢

的生活吗？这些问题只有当事人才知道，我们旁观者都不过是用自己的目光去看待问题。但稳定，毫无激情的选择是我们真正想要的吗？我相信很多人在面对这个问题时都会持否定态度，但敢于打破常规的人又有多少。我不认为好的选择只局限在那些稳定的，似乎对我们最有利的选择中，即使是充满荆棘的选择也有可能是一个好选择，一切都取决于我们的心态，选择的迷宫有时会让我们找不到出口，但这只是暂时的，我们要摆正自己的心态，相信真正的出口也不会离我们很远。

在这里说一个有趣的故事，这也是一个年轻人的选择，虽然看似他进入了迷宫，但他从来都很清楚自己的追求，即使别人说什么都不能影响他对自己未来从事职业的探索。

这个年轻人从大学开始几乎每一个学期就会转换一个专业，因为他发现自己学习的专业不是自己兴趣所在的话他就会果断放弃，而且从来都不会太关注别人的目光。

他刚开始学习的专业是机械，但学习后发现这个专业十分乏味，只强调实操性，况且那些图纸也没有半点趣味性，因此果断放弃这个专业，然后去学习物理专业。刚开始他被物理的有序模式吸引，但很快就感到厌倦，因为除了模式具有吸引力外，其他的内容都让他没有继续学下去的兴趣，因此果断地结束这个专业的学习跑去学习数学。

数学专业是一个具象化的专业，需要一定的抽象思维，因此刚开始的时候他对这些能力也十分着迷，但久而久之发现自己对事物的看法越来越抽象，甚至很难联想到实例，因此又再次果断地放弃这个专业。

短短的两年换了3次专业，甚至在数学学习结束后果断地转了学校，相信他的这些行为都很难被别人理解，但他全部无视，毕竟在他看来这关系到自己以后的人生，必须谨慎对待。

转学后他选择了绘画专业，绘画的确带给他乐趣，让他能把想象到的事物都具体化，并用线条表现了出来。但学习艺术的人是十分孤独的，因为周围很少这样的人，况且不是每个人都对这个领域感兴趣，自然能够交流的朋友就变得非常少，于是他又果断放弃了绘画专业，希望寻找到更有兴趣的专业。

于是他选择学习建筑专业，建筑专业是一个要不断与人交流沟通的专业，而且这个领域也涉及绘画、数学和物理方面的知识，单从这几个条件看来，他应该遇上心仪的专业了吧。我们未免开心得太早，他说这个专业好是好，但实操性不强，每次设计了很好的建筑图纸，但却因为没有实操性被全盘否定，这让他感觉自己在白费努力，因此又对那些建筑材料感兴趣，于是又回到原来的**机械**专业，弄清楚每种材料的特质并分清它们的用途。

但事情还没有结束，因为他始终不喜欢单调乏味的工作，于是把学到的知识都统一起来进行思考，发现自己现在拥有的知识和资源很适合做一名城市规划师，于是又果断地转换了专业，并成功地获取了硕士学位，成为一名出色的城市规划师，开始了自己的职业之旅。

如果他不是在不断地探索，你认为他能找到自己喜欢的领域吗？每个人都有自己的想法，能否不被周围环境影响，坚持自己的想法，并把它变成现实，那是需要勇气的，而且这种勇气是需要坚定自己的意志和立场才能够获得的。选择很难用正确和错误去评论，就如每个事物都有其积极和消极的一面，最后该如何判断，这都取决于我们的心态。

有人或许会问，给予他们选择的自由，会不会让他们在自由中迷失了自我。我可以肯定地说不会。因为自由选择本身并没有错，但错的是作出选择的人。我们每天都会面对很多诱惑，但有些人却不能明白有些诱惑是不符合规范的，为了一时的高兴而选择错误的尝试，最后把自己推入万劫不复的境地，如吸毒。相信社会环境对这方面的宣传教育做得够多了吧，但很多人还是罔顾规范，以为自己拥有足够的自制力，为满足一下好奇心而吸毒，最后却染上了毒瘾，成为过街老鼠。因此对于违反规范的事情我们不要太自信，这有可能让我们错失其他东西，甚至遭到身边的人唾弃。

　　因此，我们都有享受自由选择的权利，但权利的使用必须建立在规范的基础上，一旦我们不能控制自己，就会追悔莫及。选择本身没有错，但你清楚地知道自己选择的后果吗？你能保证自己不后悔吗？你能在这个选择之后拥有更多的选择吗？这都是我们需要思考的问题，如果没有确定的答案，请不要好奇，请不要尝试，因为除了自己没有任何人能对我们的人生负责。我们必须谨记并清楚地知道这一点。

小贴士：

　　我们每天都会面临选择，但什么选择是正确的，什么选择是错误的，这都没有标准的定义，因为无论是稳定的选择还是其他看似不安稳的选择都有属于它们的优缺点，就像巴菲特所说喜忧参半，因此，我们没必要为了选择而苦恼。但自由的选择不代表能选择那些不符合规范的选择，选择是建立在规范的基础上的，如果我们不能做到这一点，那么还是征询别人的意见比较好，这样才能把我们引导到正确的方向，让我们享受选择带来的快乐。每个父母都希望为子女提供优厚的物质条件，因此经常用自己的人生经验来告诫孩子什么选择才是最好的，但孩子们的需要我们了解吗？有时过多地参与他们人生的选择，反而会限制他们能力的发挥，因此作为家长，我们一定要反复思考权衡利弊，这才能让孩子们在选择中健康成长。具体应该做到以下几点：

　　1.只要孩子们的选择符合规范，我们大可不必进行制止，但一定要给予适当的引导，毕竟人生只有短短的几十年，没有太多的时间浪费在选择上；

2.根据自己的实际出发给予孩子们实现选择目标的条件，但要时刻告诉他们这些条件虽然会让他们的起点不同，但具体能否实现目标主要还是靠个人的努力；

3.这个世界不存在一定安全的选择，因此作为父母一定要摆正自己的心态，这样才能更好地引导孩子作出选择；

4.为孩子创造条件不是不可以，但在实施以前最好征询孩子的意见，了解他们的需要，培养孩子为自己的选择负责任的能力。

作为孩子应该要做到以下几点：

1.必要时要体谅自己的父母，因为父母之所以干预你的选择不过是关心你；

2.时刻与自己进行对话，了解自己最真切的需求，只有这样才能更好地与父母进行沟通；

3.每个选择都有成功和失败两种可能性，我们要学会保持理智进行分析，并根据自己想要的结果进行选择；

4.父母不过是我们生活的参谋者，我们可以打破常规追逐自己的目标，但切忌不切实际，一切都要从实际出发。

第4课 / 神秘的志向
——巴菲特回忆父亲：志向的秘密

> 课前引：每个人都有自己的志向，但能否把自己的志向变成现实这是人生一个比较困难的课题，除了客观环境对我们的志向实现有所制约外，主要还是看我们自己，如果一个人拥有坚强的意志，勇往直前的精神，以及坚持不懈的心，那么志向的实现将会离我们越来越近，这也是志向实现的法则。

2008年秋，我在洛杉矶佩利媒体中心的演出很有意义，原因主要有二：一是我能把属于自己的音乐思想和表达方式呈现给我的听众；二是父亲会来参加这个音乐盛会，甚至会和我一同演出。可以说我的内心非常激动，因为父亲从来没有这么正面地支持过我的事业，总是默默无闻地在背后看着我。这次能够与他一同演出实属人生的第一次。当演奏完毕后，父亲欢快诙谐地对场下所有观众说："我来看看自己的钢琴课投资的成果。"场下的观众立即哈哈大笑。

说句老实话，我不知道父亲指的钢琴课是哪一次，因为我总共学了4次。这个事情说起来真有点玄妙，有时回忆起来觉得自己的人生轨迹早有定数，而仅仅因为自己年少气盛没有把握住而让自己走了很多弯路。

的确，有时我们根本不知道以后自己要走的路究竟是一条怎么样的路，总是在探索中前行，而且也浪费了不少时间和精力，但志向很奥妙，当我们严重偏离轨迹的时候它就会把你拉回来，当你重新与它接触时又会有新的发现和新的感想。但很多时候这些想法都有点稍纵即逝，因为各种因素又再次偏离它，就这样反反复复，寻寻觅觅，终归都是回到原点，回到那个由始至终都令自己感到兴奋的地方。

现在回想起来，音乐一直陪伴在我的周围，但为什么在我上大学以前我从来没有想过把它发展为自己的志向，而仅仅是业余爱好。或许这与我浮躁和自负的心有关，当一件事物比较容易获得的时候，我们很少对它进行关注，甚至认为人之常情，因此会对它视而不见，但这样做就会让自己错过最珍贵的东西，最后后悔莫及。

我的母亲说我在宝宝期间一直都喜欢牙牙学语，而且很有语调和韵律，有时甚至让她觉得我在歌唱，十分开心和惬意。当我步入幼儿期，我对能发出声音的东西都很感兴趣，无论是什么都会用自己的双手去触摸，去探索，甚至会制造一些有节奏的声音，很多时候还会乐在其中。当我第一次接触钢琴的时候，好像知道它能为我们带来美妙的声音一样，我竟然用手向所有琴键一扫，随即响起像下雨一样的声音，让人感觉十分清凉、惬意、浪漫。

在我5岁的时候，当时我对别人的好感刚萌芽，喜欢一个叫戴安娜的女孩，于是我邀请她到我家做客，并唱了一首欢快的歌曲以表达我对她的喜爱，并说："戴安娜，请永远陪伴着我。"这些都是我童年时候的美好回忆，但都没有离开音乐，它在我生活的周围存在着，但我却没有发现原来自己对它是这么着迷的。

在我的少年时期，当时甲壳虫乐队的音乐非常盛行，可以说是家喻户晓，而我也是其中一个乐迷，十分追捧这个乐队的音乐。或许正是因为他们的盛行才让我对音乐有了一个更深刻的理解，并知道它带给人们的力量是十分巨大的。另外，我还喜欢和朋友们模仿他们歌唱的动作和语调，也喜欢模仿他们弹吉他的姿势，并且乐此不疲，百做不厌。有一次我在听他们的唱片的时候，留声机的针突然断掉了，我很苦恼，因为很想继续听下去，不知怎么来的灵感，竟然想到母亲的缝衣针，于是把它换上留声机，竟然又再次欢快地唱了起来，这也是我第一次修理音乐设备。

我第一次学习钢琴实是在6岁的时候，当时的那个老师是我们街道的一名妇女，这个区域的孩子基本都是她的学生，从她那里我学习了钢琴的一些基础的知识，如琴键的作用以及音符乐谱的学习。通过这个老师的启蒙，我对钢琴有了一定的知识和基础，并知道怎样通过琴键去表达自己的心情，大调是明亮、欢快的音符，而小调是忧郁、苦恼的音调。因此，有一次我的心情十分糟糕，不能用言语来形容，但我很想表达自己内心的痛苦，于是坐到家中客厅的钢琴前弹奏起《洋基歌》，这个曲目本来是欢快的调子，但却被我弹奏成十分忧郁灰暗的音调，让全家人都知道我现在心情十分不好，情绪消极。

这次对钢琴课的喜爱持续了两年，至于为什么会放弃我们暂且不做讨论。我突然想到一个更重要的问题，这个问题相信也困扰过很多人，就是为什么我们做一件事情刚有点眉目，想深入探究的时候，我们总是犹豫不决，停滞不前，甚至果断放弃呢？

对于这个问题的思考相信会有很多的答案，但我认为或许和人们的普遍心理有关。当我们学习一样东西时，从来都没想过要成为这个领域的拔尖人才，仅仅是想了解一点皮毛，或者是让自己达到平均水平就心满意足了。在社会生活中这种现象十分常见，每个人都喜欢和周围的人进行交谈，而且也很在意别人的眼光，当别人有这方面的技能时，自己也会想办法了解，因为不想与人交往的时候没有一点共同话题，甚至被排斥、取笑等等。但生活是为了自己而活，不是为了别人，如果我们不能认清这一点，我们就会进入对人生理解的误区，让自己终无所成，永远都不过是芸芸众生中的普通一员。

当然我不是说每个人都一定要有自己的成就，但当发现自己对某些事情感兴趣时，最好要学会力争上游，排除万难，让自己用坚毅、坚持的心去学有所成，这样才能实现自己的人生价值。但如果我们碍于困难，而且又感觉自己不比别人差，于是自负自满，停滞不前，这样永远都无法找到属于自己的那份志向和价值。难道你想要成为一名舞蹈家，仅有"普通"水平别人就会给你冠以"家"级的头衔吗？难道你想成为一位发明家，仅有"普通"的知识理论水平能够让你顺利抵达目标吗？这些问题的答案很多人都知道，因此，当我们确立了自己的志向后，就应该坚持不懈，运用自己坚强的意志打破困难对我们的禁锢，并学会拥有独立的思想，毕竟成功以前有很多人是对我们的能力进行否定的，每个人都只用"普通"的眼光看待事情，也认为符合常规的行为才是最安全的行为。但安全能使我们抵达实现志向的岸边吗？

所以，如果要实现自己的志向必定要有冲破障碍的心。

说到这里，我想起自己为什么在两年后拒绝继续学习钢琴课了，如果用当时我仅有的词汇表达，那就是我不喜欢学钢琴了。

与其说我不喜欢不如说我没有自信，当我学习了两年后，当然要面对一些更难的课程，但这些对于当时年少的我来说有点接受不了。我虽然喜欢学习钢琴，但当课程越来越难时，我感觉有点力不从心，而且觉得很难理解，这让我十分在意，毕竟我是想继续学习下去的，但随着知识的深入，我感觉自己越来越难以驾驭，甚至觉得十分痛苦，当时的我没有成人的思想，只觉得生活好像有意刁难和打击我继续学习的信心，于是我要放弃，我不想让自己再为这些事情感到烦躁不安，不想自己被这些事情困扰，我喜欢无忧的生活。

在我们初试志向的实践时，这种矛盾而烦躁的心情相信很多人都有过，一旦不能顺利克服，那么我们的志向就不再是志向了，仅仅成为一种经历。

人类就是这样矛盾的动物，而且精神十分复杂，当我发现自己不能从老师那里更好地学习知识时，我就感觉他对我而言是一无是处的。这也是一个年少无知的人的幼稚想法。因此，我决定凭借自己的能力学习音乐。

音乐总是存于在我生活的周围，总是在我的身边走来走去，但我当时并没有想过它会成为我以后人生离不开的价值因素。因此，任凭它随意地在我周围流荡，任凭它随意散发自己的魅力。而且当时我认为自己通过两年的学习已把书本上的钢琴知识都学到手了，因此我认为那个阶段的自己不应再停留在别人的音乐上，而是要学会创作自己的音乐，而且即使没有老师的指导我也能顺利地把这个课程自修完毕。

听到我这样说是否觉得我太自以为是，是的，当时的我根本没想到这些想法都十分危险，而且不符合实际。我有创造属于自己音乐的知识和能力吗？我能单凭自己的力量酿造自己创作音乐的才能吗？这未免太自负，但当时的我就是有这样的想法，根本没有意识到这种想法对自己带来的影响。

学习知识、掌握知识是没有捷径的，我们必须要脚踏实地、虚心求教，否则只会一事无成。

人类文明和精神文明都不是某一个人创造的，它们是人类文明的结晶，它们的创造者是全人类，因此，人类文明和精神文明是由很多老师共同创造的，我们要学会尊重这些老师为我们创造的知识。而且在生活中，几乎每一个人都是我们的老师，都有值得我们学习的地方，因为，我们自身掌握的知识是老师们授予我们的，如果没有这些老师的存在，那么我们就不能成为现在的我们。因此，我们必须要学会不耻下问，谦虚求教，这样才能从别人身上学习自己想要的知识，才能让自己的知识库不断变得饱满。

我们学习了多少知识也代表我们有多少个老师，这些老师都是直接或间接地影响着我们。像我在学习钢琴一样，虽然确切来说是有 4 位聘请的老师教导过我（包括前文所说的那位启蒙老师），但除了他们外，很多人都是我的老师，让我接触到音乐的方方面面。当然聘请的这四位老师对我的影响是最大的。他们教会我音乐方面的各种技能和技巧，甚至用正确的方式对我进行引导，让我感受学习音乐的乐趣，也让我知道音乐对人类文明的贡献，所有的这些都让我对音乐十分着迷。

第一个老师已经介绍过了，因此在此不再多说。对于第二位老师，他很重视钢琴的基本功，因此每天都要重复单调乏味的动作就是用正确的手法按琴键以及学会打拍子，掌握节奏感。虽然这些动作都十分单调，也持续了很长的时间，但也让我知道基本功是进入一个领域的第一步，只有基本功扎实的人才能在这个领域站得住脚，并在重复的动作之中找到创造的灵感。

第三个老师很注重音乐的声音，因此很喜欢告诉我什么声音是表达什么情感，怎样运用这些声音才能变成一首美妙的曲子。就像他经常把那些名家的音乐进行拆解，然后细心地教导我为什么会用这样的音调进行表达，让我明白音调的变化是多种多样，而且表达出来的情感也是多种多样，让人感到音乐的表达方式不是仅仅拘泥于所谓规律，我们要学会在规律的基础上创新。

第四个老师也很重视前面两个老师教育的内容，但他给我的引导更加深刻，就是要学会用音乐表达自己的情感，要学会打破常规，勇于创新，选择合适的表达方式，这些都需要我对前面学到的知识进行升华，这更加考验我的音乐能力。

所有的这些集合在一起变成一股强大的力量，甚至超乎我们的想象，让我们感受到这个领域的精神文化，甚至让我的思想升华到另外一个境界，这个境界不是常人能够企及的，是我们灵魂的表达。所以当我们大胆地进行革新、创造时，我们注定是孤独和冒险的，但这种孤独和冒险却让我们获得意想不到的惊喜，也让我们知道能力的表达原来是可以这样淋漓尽致。

当时我的思想还没有现在的成熟度，因此不能知道这个领域带给我的快乐原来是如此巨大的，因此我还希望把自己的志向定义为摄影师。摄影师没有什么不好，但我在这个领域能否发挥音乐带给我的能力的升华就不得而知了。

或许我的志向在这个时候已经能看到雏形，但我并没有意识到这一点。志向通俗地说就是一个人要成为怎样的人，成为这样的人要实现怎样的人生价值。但志向不是一种传承，如果说志向是一个家族事业的传承，我认为这种解析欠缺公平，甚至不能把志向的含义解析得透彻。

像詹姆斯·美林的志向是一位诗人，并且实现了这个志向，但他是美林债券公司的后代，如果按照上面的含义，那么詹姆斯的志向应该是金融方面的人才，但事实却相反，因此志向是个人的主观愿望，与任何客观因素是无关的。

另外，在社会中的每一个人都有志向吗？这个问题我认为很难回答，但有时纵观人们的行为，我们会发现很多人都是为了谋生才参加工作的，如果说这份工作能够为他带来乐趣，能让他实现自己的人生价值，这份工作就有可能是他志向的体现。但如果一个人单纯为了工作而工作，尽管工作表现十分出色，但也不能说这是他实现自己人生价值的方式，更不能说这个是他的志向。

人们志向的表现方式有很多种，但以下我说到的这两种很具代表性，大家可以看一下自己身边是不是都有这样的例子。

有一个人想成为一名作家，他之所以这样想是因为他发现自己不喜欢被约束，而且好像很难与别人和平相处，总是认为别人经常针对他，但最重要的是他很喜欢与自己的心灵对话，很喜欢想事情和分析事情，并具有自律性，他认为作家这个职业很符合他的性情，因此决意要成为一名作家。

当然受周围环境的影响，他知道自己的这个举动有点冒险，毕竟不是每一个人都能成为一个成功的作家的，万一不能成功，那么自己这一生的衣食如何保障，因此他也曾经试过两次学习其他领域的东西。

第一次他选择了学习医学，但有一堂课打消了他的念头，就是对青蛙进行解剖，然后研究神经的作用。他认为这些举动太恶心，而且自己真没有这方面的兴趣，于是果断地放弃了这个念头，又再次专心致志地研究写作方面的事情。

第二次他在总统竞选期间做了一名调查员。他说这份工作他很感兴趣，因为能够接触到各种各样的人，通过采访调查他发现很多有趣的素材，并把它们都记录下来以备不时之需。他这样做的原因相信也不言而喻，因为作为作家总不能狭隘地从自己的身边寻找素材，这不是一个明智之举。因此他的活动都是围绕在成为一名作家进行的，只要能够帮助他成为一个作家，他会毫不犹豫地参与这些事件，并尽最大的努力让自己学得更多。他说从来都不敢想象自己如果不能成为作家还能从事怎么样的职业，在他看来其他职业才是真正的冒险，因此，他从来都不会理会别人对他的评价，因为他很清楚自己在干什么，对自己的志向目标也很明确。

而另外一个人他很少从事一份固定的职业，他认为只要能为他带来收入的职业都是一个好职业，而且工作的理由都是为了赚取金钱，获得金钱才能获得自己想要的快乐。因此他的志向是获得快乐，简单明了。只要能让他感到快乐的事情他都愿意去做，他说他从来都不会把自己的志向想成什么具体的职业或具体什么事情，仅仅按照自己的心思进行，如果说买一辆汽车能让我感到快乐，我就会想方设法去赚钱，然后把喜欢的那辆汽车买回来。

所以每个人的志向都不尽相同，表达方式也不同，这当中当然没有什么对错问题，重要的是本人认为是正确的，有价值的就可以了。

志向的通道总是不期而至，当时我认为玩音乐是一件十分孤独的事情，但很庆幸，我遇到了一个志同道合的朋友，他的名字叫作拉尔斯。他和我一样都十分喜欢弹钢琴，并且很喜欢音乐带给我们的美妙感觉，因此我们成为一个组合，当别人在尽情玩乐的时候我们都在认真创造音乐，乐此不疲。

但随之而来我有一个烦恼。我们组合起来创作的音乐可以说是很有吸引力的，但我很想证明自己的能力，总是想和拉尔斯比较，因为总觉得自己的能力不如他。如果说这些属于我们两人的音乐成果我认为有失公平，这种情绪一直困扰着我，让我再次陷入迷惘，究竟音乐之路是否适合我，我又再次怀疑起来。

迷惘或许是上天给我们的一种休顿和反思自己行为的机会，而在这个机会到来的同时又巧合地安排其他重要的因素来再次刺激我们迷惘的心，让我们看清前面的路况，再次出发。

说起来巧合的事情也不知道是不是巧合，我的母亲买了一台录音机。这个物件对我的影响十分深远，因为我从来都不知道原来这个世界存在着这样的盒子，这个盒子能成为我创作的工具，我可以利用它对自己创作的音乐进行刻录，并反复聆听，反复发现自己的问题，不再在是否属于我的创作上纠缠，让自己陷入迷宫。

另外录音机也让我对音乐有了一个更深刻的了解。以前我以为音乐只局限于演奏和配乐，但录音机的出现让我发现我们可以成为音乐的制作人，一个制作人既懂得音乐的知识也懂得器具的使用以及器具的优缺点。什么样的音乐用什么样的器具进行演奏这个是我们需要思考的问题。另外，学会利用器具给音乐带来创新，创造比较新颖的元素，让人们得到新的听觉享受等等。所有这些都为我明确自己的志向指引了方向，我每天都沉迷在这些创作之中，让我获得想要的快乐。

因此，每个领域的知识都是很丰富的，我们要学会放开自己的视野，用宽阔的眼光看待问题，不能局限于自己的所知，应该学会走出去，多与这些领域的人进行交流，然后你才会发现自己在这个领域的发展方向，也才能确定自己的志向。

我们都是一个普通的人，但有的人一生平庸，有的人却能大放异彩，这都与人们的追求有关，当我们确定了自己的志向，我们就相当于拥有了一盏明灯，在走向这盏明灯的过程中肯定会遇到各种各样的问题，但如果我们的意志不够坚定，或因为不自信及自己眼光狭隘导致我们看不清前面的路，想放弃的时候，这盏灯就会越来越暗。明灯只为那些向往它的人发光发亮，因此，我们必要时一定要学会调整自己的心态，让自己开阔视野，用宽广的胸怀来面对这一切，这样我们就能拨开影响自己视线的迷雾，看清明灯的方向。

并不是说录音机改变了我对音乐的态度，让我重拾自信，而是它让我的眼光变得宽阔，看到事情存在很多种表现的形式，只在于我们能不能够发现。

当时音乐虽然在不停地冲击着我的生活，但我还不能意识到这就是我寻觅已久的志向。即使到了斯坦福大学接受教育，我仍然认为摄影是我的第一志愿，因此为了锻炼自己这方面的能力，只要有时间我就会到处照相，但照出来的照片虽然具有一定的独特性，但我却不知道这些独特性独特在哪里，以致我经常在反思摄影是否真是我的第一志愿。另外，心灵和思维的衔接是十分缓慢的，而且即使是本人也很难一下子就会发现，因此，即使那个时候已经萌生了对音乐的爱意，但我的思维却没有意识到这一点。

另外，导致我发现志向缓慢的原因就是我自己的信心问题。我好像认为自己很难在音乐这个领域表现自己的价值，甚至认为加入这个非主流的行业是一种傻瓜才喜欢的冒险。还有我很怕愧对父母对我的期望，我很清楚他们把我送进斯坦福大学的原因，虽然他们从来都不会对我的选择做出太多的干预，但他们对我的期望让我无法相信自己有能力从事这个行业，毕竟在我看来，这个行业有点像孤军作战的行业。

但无论怎样，在我大学二年级的时候，我的朋友邀请我到他们的宿舍听一个奏乐会，这个奏乐会很简单，不过是同学们聚在一起弹弹吉他，玩玩乐器，但却触动了我的心灵，让我知道音乐其实是可以这样玩的，它带给我的快乐是无限的，是其他事情做不到的。因此，我的音乐之门悄悄地打开了。

小贴士：

志向是人生的追求，我们每个人都希望通过志向的实现来实现自己的人生价值。但实现志向的路是非常曲折的，不但要我们不断地探索，也要我们坚定自己的意志，增强自己的自信。不过，能做到这些的人少之又少，他们经常会跌入自己为自己设定的迷宫，甚至连出口的方向都忘记了。所以实现志向的路从来都不是一条平直的路，它是弯弯曲曲的，因此花费的时间也比较多，我们怎样才能坚定自己的信心，走过这条弯曲的路就需要我们运用自己的智慧，发挥自己的才能，坚定不移地向前走，这样我们才能成功地到达自己所希望到达之处。每个父母都希望自己的孩子成龙成凤，但要成龙成凤就要接受生命的磨炼，因此，作为家长应该要做到以下几点：

1.先安抚好自己烦躁的心，因为心急也不能帮助孩子解决他们自身的问题；

2.学会弱化对孩子们的期望，抱着平常的心态教导他们，让他们感受你对他的爱，同时也能让孩子感受不到压力，这也有利于他的成长，至少不会因为在志向选择的时候对你的态度过于忧虑；

3.要明白每个人都有他要走的路，我们作为父母只能从旁指引，及按照自己的能力适当地给予孩子帮助；

4.主动与孩子们进行交流，了解他们心中的苦恼，做出对其有效的激励。

作为孩子应该做到以下几点：

1.当自己的志向不清晰时不要过分急躁，用平常心应对，这样能让你保持清晰的头脑，认清自己的能力；

2.面对问题要保持自信，适当的时候要学会自我激励，增强自己的自信；

3.当自己的思维不能听到心灵的需要时，我们不必感到苦恼，利用这些时间来调整一下自己，让自己充满活力，开阔视野；

4.主动与信任的人进行沟通，了解事情对我们的影响，在坚定自己意志的同时，保持清晰的头脑。

第 5 课 / 用正确的态度对待错误
——巴菲特回忆父亲：迈向新境界的大门

> 课前引：每个人都会犯错误，但能够用正确心态对待错误的人少之又少，我们怎样做才能正确对待错误，并从错误中获益呢？这就是这节课需要考虑的问题，也是我们重要的人生课题，一旦处理得当，它将会是我们迈向新境界的大门。

错误是每个人必经的经历，但造成错误的原因却多种多样，这要求我们必须拥有智慧，用正确的态度对待错误。

错误的产生是因为我们太粗心还是因为我们太谨慎；错误的产生是因为我们知道的东西太多还是知道的东西太少；错误的产生是因为我们对待事情太乐观还是太悲观；错误的产生是因为我们的精力旺盛，年少无知还是我们筋疲力尽，智穷计拙；错误的产生是我们不懂人情世故还是我们看清了世态炎凉……

错误产生的原因无论是什么都是我们人生的一个重要的经历，也是我们要及时总结的行为。如果处理不当，听之任之，或许这个错误的种子就会为我们酿造更大的悲剧。当然，事物都具有两面性，我们不能只看到其消极的一面，也要看到其积极的一面。不能及时总结错误当然会为我们以后的人生埋下隐患，但如果我们勇敢地和它正面相对，它将会为我们开创另一个新局面，而且这个新局面带来的力量有时是很难估量的。

生活每天都在变化着，让我们很难停下脚步对错误进行剖析，但这不能成为逃避错误的借口。错误之所以到来是要给我们一个提醒，如果我们能领悟它带给我们的旨意，我们就能让自己离成功越来越近。因此，勇敢和有智慧的人从来都不惧怕犯错误，甚至喜欢犯错误，因为错误的存在让我们知道原来自己之前的做法是与成功无关的，让我们节省更多的时间去考虑是否要这样行动。另外，错误从来都是在合适的时候出现的，只要我们不惧怕与它直面相对，我们就能把成功之门顺利敲开，甚至让我们抵达一个意想不到的地方。

如果每个人都能这样正面地对待错误，那么这个世界相信会很和谐，甚至是充满激情的。但由于世界观的影响，有些人很害怕自己犯错误，认为犯错误的人是不可饶恕的，是别人不允许的，但我们是为了别人而活吗？我们存在于这个世上难道是为了别人负责任吗？不是，我们只为自己而活，只为自己负责任，因此不用在这些问题上过于苦恼，这将不利于我们的发展，也不利于我们的健康。思想上的健康比身体上的健康更重要，因此我们必须学会摆正对待错误的心态，这样才能让自己更健康，更有活力，更有精力。

错误是促使我们成长的营养剂。

所以我们不用因为犯了错误就停滞不前，甚至太在乎别人看我们的眼光。其实这个世界上没有多少人会关注你，除了特别关心你的人。因为每个人都有自己生活的使命，也有自己需要履行的责任，更重要的是每个人都有自己的追求，因此根本无暇顾及他人的事情。所以，当错误出现的时候我们不用悲观，只要认真分析个中的原因，找出改正的方法继续前行就足够了。当你凭借自己的意志和态度取得成功的时候，你会发现成功的取得离不开错误的帮助，因为错误的存在才让我们更靠近成功。

这个世界上没有绝对保险的事情，无论你考虑得多么周详，多么细密，错误总能找到合适的缝隙进入，让你措手不及。既然错误是不可避免的存在，我们为什么不转变自己对待它的态度，学会接纳它才是我们具有优秀情商的最好表现。当你对它表示欢迎的时候，它反而会变得腼腆，但当你恐惧它的时候，它就像获得神的帮助一样力大无比，让你根本不能成为它的对手，将它成功击退。因此，要想成为生活的强者，我们一定要学会拥抱错误，只要你能够展开双臂欢迎它，那么它也会给予你笑脸回应。

在加州有两兄弟，他们的父亲是一名工程师，拥有稳定的收入、社会保障以及其他各项福利，因此作为父亲他希望自己的两个儿子都能从事这个职业，以后的生活即使算不上富裕，至少也能衣食无忧。幸好他的两个儿子也遗传了他这方面的特质，拥有很强的逻辑思维能力，因此学起数学和物理来都十分轻松。

虽然他们都拥有这方面的能力，但他们却不希望从事父亲的这个职业，虽然很稳定，没有压力，但却没有一点激情。他们不想像父亲那样过着单调乏味的生活，因此即使这个职业是一份保险的职业，但他们却没有产生一点兴趣。

因为需求和观念不同导致他们走上了与父亲背道而驰的职业道路。哥哥杰夫选择了当时的主流专业电气工程师。这个职业的特性和父亲的没有多大的区别，但因为能带来可观的收入，因此杰夫虽然说不上喜欢这个职业还是决定长期从事这个行业，这至少能为生活带来一点保障。

至于弟弟丹虽然成功取得了工程学学位，但却从没有想过从事这方面的职业，因此即使面对众多来自父母的压力他还是挺过来了，甚至有一个让人觉得荒唐的计划就是成为一名厨师。但他却对烹调食物没有多大的兴趣，就是喜欢在厨房忙碌。这实在有点让人接受不了，对于他这样的行为难道不算是一个错误吗？因为他不但浪费了学位的用途，而且在厨房工作也不能获得有益的经验，这对于一个处于事业摸索期的人来说无疑有点浪费时间。

十几年过去后，由于经济环境的影响，哥哥杰夫失业了，这份看似稳定的职业始终抵挡不了环境因素的影响。但失业之于杰夫是没有一点错误的，毕竟不是他个人的能力问题才导致失业，而仅仅因为网络泡沫破灭导致很多这个行业的企业难以维持，最后倒闭，他只是这批倒闭企业员工中的一员，失业的人不是只有他一个。

但对于杰夫来说他不认为全是环境因素，也有个人的因素，因此他认为自己有必要就这个事情进行反思。刚开始他陷入严重的苦恼之中，对于他来说这个打击有点大，毕竟这次失业竟然是在毫无预兆的情况下发生的。但经过一段时间的调整后，他对失业的原因认识明朗起来，甚至还知道自己不能再在这件事情上沉沦，这只会使自己犯更严重的错误。眼下最重要的事情是思考自己的现在和未来，这看似也是失业给予他开启人生新旅程的机会。

这次经历让杰夫明白一个道理，就是一些看似没有风险的事情实际上就是人生的一次冒险，如果我们能够用正确的态度对待它，也会发现事情都有它的利弊，即使届时我们遭遇的是弊的一面也无可抱怨，毕竟每个人都没有一定正确的时候。另外杰夫还意识到因为自己想避免犯错误，错误却反而找上了他，因此错误的发生是不能避免的，我们只能理智地接受。在他艰难地承认这一点的时候，他对错误也有了一个新的认识：错误是人生的一个转折点，我们要看到它积极的一面，不能只看到其消极的一面。

正确的观念引导正确的方向，杰夫似乎看到了新的希望。经过反思他发现电气工程师虽然是一个稳定的职业，但太单调乏味，而且他不喜欢与人打交道，而喜欢和电器打交道。另外，现代社会的科技日新月异，这让他意识到保护知识产权、专利技术这方面十分重要，于是他决定报读一个法律课程，成为一位专利律师，帮助那些创造发明的人保护自己的权益，从而开启自己新的生活，并为此感到很满意。

而丹经过多年的打拼没有一点成绩，这个经历看似只有消极的一面，但却给丹一个重要的灵感。他虽然在厨房工作，但从来都很少按照固定的厨房模式来看待事情，总是喜欢利用他工程学的思维来看待事情。于是他把厨房工作的流程和工作的工具都冠以工程学的思维，这让他发现厨房的很多事情都可以用工程学的知识来解决，无论是流程还是工具都可以用这方面的知识进行改进，这不但有利于保证厨房工作的效率也有利于保证食物的质量，让顾客享受到厨房带给他们的美味，让他们享受美味。

因为知道厨房工具的特性、质量、材质等方面的内容，再加上他拥有工程学的知识，把这两者综合起来让他成为一位工具设计师，成功地设计了商业厨房的器具，让他在这个领域大展所长，成为这方面的专业人才，不断地实现自己的人生价值。

这就是他们两人的经历，看似有点太浪费时间，但如果没有这十几年的实践，他们能够清楚自己的内心所需以及专业特长吗？这些所谓的"错误"不是我们每个人都有可能会经历的吗？所以，不要害怕犯错，错误会给我们带来一个新的契机，会让我们看到生活的另一种精彩。

下面来说说我自己的经历。

我们很多时候都能够知道非理性的决定带来的后果，但因为我们的自以为是总认为自己和别人不一样，一定能够使自己顺利避免产生这样的恶果，因此还是一意孤行地把会带给我们不幸的事情实施，当结果和预想的一样的时候，我们才如梦初醒，发现自己原来和别人一样，都不可避免地把错误的事件重演了一遍。

所以，当一个事件被大多数人称为错误的时候，我们要学会及时从中吸取教训，领会当中的利弊，尽量避免事情在自己身上发生。一个有智慧的人，都会知道发生在自己身上的事情都是有限的，因此总是喜欢从别人身上吸收经验,促使自己成长,让自己越来越精明。

我的这个事例在很多人身上都发生过,可以称为是经典。在20世纪80年代末,我在音乐上的发展如鱼得水,而且结了婚,生活十分美满。但随着两个双胞胎女儿的降临,我成了父亲。作为丈夫和父亲,我必须保证她们的生活,希望一家人能够幸幸福福、和和美美地生活下去。俗话说安居才能乐业,因此房子是婚姻家庭生活必不可少的物品。事情确实有点巧合,当我们打算买房子的时候刚好也有这样的机会。就这样我们一家四口就平安安稳地过着自己的生活,一切都那么顺利,让我们感觉不到风雨的可怕。

后来,我想让自己的音乐事业上一个台阶,因此接受位于密尔沃基的纳拉达唱片公司邀请,成为他们的执行制作人。在纳拉达唱片公司我能够把自己的音乐创作产物推向市场,而且唱片公司会为我出专辑,然后他们会组织旗下的音乐人到我的工作室录音,这也为我带来一笔不菲的收入。所有的这些条件都让我很满意,再加上我想到那里居住,那里美丽的环境深深地吸引着我,因此,我果断地接受这个机遇,着手准备从旧金山前往密尔沃基。

当我安排好家庭的事务后,房子成为最后一件需要处理的大物品。或许是幸运,当时的房价飞涨,而且房子所处的地段也非常好,因此,这个房子为我带来很大的收益,这也助长了我自负的情绪。因为当一个人遭遇过一件看似很好的事情时,他就会自以为是地认为自己很有能力、很有眼光,因此才做了比较正确的事。另外,我也说过这个房子是在我毫无压力的情况下得到的,因此,我以为要买一个房子是一件很容易的事,所有这些自负的行为都是一个很糟糕的行为,也是让我在房子问题上失去理智的原因,我掉进了自己挖的陷阱。

为了尽快安顿家人,在密尔沃基买一个房子也是一个很重要的事情,但因为有了在旧金山的经历,我非理性地认为房价只升不跌,而且这里的房价要比旧金山低很多，同时也为了给那些音乐人到我的工作室录音提供便利，我认为自己这次应该买一间比较大的房子才可以。现在想来这也是一个很好的计划，但我非理智的行为又再次发生了，我在密尔沃基买的房子比旧金山的大5倍。你们说我疯狂吗？现在想来我也觉得自己很疯狂。

为什么我当时考虑事情竟然会如此幼稚呢，我根本没有把到密尔沃基工作的风险得失估算得很好，谁也没想到由于经常要留在密尔沃基工作，我在旧金山储备的工作合作项目逐渐流产，找我进行创作的客户越来越少，另外，那些音乐人虽然说会来租借工作室，但真正实施的也没有多少人，这让我陷入一个困境，因为收入的减少导致房子成为一个很大的压力，而且因为房子很大，维护费也很多，这也让我有点透不过气来。为了承担这笔费用，我可以选择的工作越来越少，但要做的事情越来越多，甚至让我的生活被束缚在工作中。说句老实话，我不喜欢做固定的工作，不喜欢在工作台前下达命令，我喜欢成为一个自由职业者。

随着这些矛盾的加深我不断地反思自己究竟在哪里出了错，如果仅仅是因为房价、工作室原因我认为自己是在辩解，是在为自己找借口，在那时的那个阶段我之所以这样做是因为我喜欢密尔沃基的生活，而且在那里拥有一间大房子是我的愿望，正是这种愿望驱使我不断地犯错，不断地让自己变得贪婪。

事情就在欲望的驱使下不断地发展，让人感觉非常沉重，而且十分吃力。当时的我以为自己已经十分理性，但事与愿违，自己的贪婪和欲望让自己在这样的事情上无法自拔，甚至没有看清事情的危害性，这些都让我在毫无准备之下陷入自设的困境，身心疲惫，不能自拔。

有人曾经问过我有没有对这次选择感到后悔，我十分坦然地说："没有。"因为犯错误是每个人必经的经历，正是因为有了这样的经历才让我们不断地成长、成熟，让自己的人生十分饱满、十分精彩。我做事从来都不后悔，或许我当时真是欠缺理性。但正因为这些不理性才让我们看清自己的需求，看清自己的能力，看清自己的本性。当发现自己现时的能力不能满足自己的需求时，我们应该想方设法提高自己的能力；当我们的本性太丑陋时，我们应该及时反思修正，让自己成长成熟，这样我们才能在生活的磨炼中不断地思考自己人生的价值以及想要达到的高度，并为此而奋斗。

因此，错误并不可怕，可怕的是我们否认它的存在。有时不是说我们不肯承认它的存在它就会不存在的，如果我们真这样想，我们就会陷入自己设下的圈套之中，甚至找不到解决问题的办法，这只会让自己停滞不前，终日无所事事。这样的人生不是精彩的人生，不是有追求的人生，不是能够实现自己人生价值的人生。因此，我们必须理性地对待错误，并不要惧怕错误给我们造成的困扰。每个错误都有修正的机会，只在于我们如何应对，如果我们不能顺利应对它也不要紧，或许仅仅因为我们的能力还没到这样的高度，因此，假以时日，任何错误都有化解的机会，这是我们能力得以升华的日期。无论怎样，所有的事情只要对得起自己，没有伤害任何人，我们就不必感到苦恼，人生就是一个修炼的过程，而且很多时候就是一个自修的过程，如果我们都不能直面自己的错误，那么谁又会帮助我们解决，让自己面对生活的新风貌。

错误很多时候都是开启新旅程的一个契机，我们必须要认识到这一点，这样我们才能为自己的生活创造更多的精彩，把握更多的机会，让自己过上独一无二的生活，让自己不断地走近属于自己的那份成功。这样，当我们年老的时候回忆起来，也会开心地笑，我们之所以笑不是因为笑自己的年少无知，而是笑属于我们的那份精彩，从而感到满足。

生活仍然在继续，历史大可不必再重演，但新的错误还是会出现，所以我们要学会随遇而安，让自己用最宽阔的胸怀去拥抱生活。

小贴士：

每个人都会犯错误，但犯错误并不可怕，可怕的是我们没有接纳它的心。错误之所以找到你，是想让你及时反思修正自己的行为，让自己缩短走向成功的路程。每个人的路都是弯弯曲曲的，没有直线可言，但错误却让我们能够缩小弯曲的弧度，让我们以最快的速度走向成功。错误是生活给予我们的契机，是我们开创生活新篇章的拐点，只要我们能够客观地分析评价它，我们就能让自己的心智不断成熟，遇事变得十分镇定和理智，这样我们就能储备足够的力量推开成功之门。作为家长我们要正确引导孩子面对错误的态度以及观念，这样才能让孩子在错误中成长、成熟，成为祖国未来艳丽的花朵，具体应该要做到以下几点：

1.必须端正自己对待错误的态度和理解错误的定义，这样才能采用适当的方式对孩子进行教育，才能让孩子在你潜移默化的影响中接纳面对错误的态度和观念；

2.当孩子们因为犯错感到苦恼时，不妨说说自己的事例，让孩子们明白犯错是每个人都会经历的事情，重要的是摆正自己的心态；

3.当孩子们犯错后，我们应引导他们学会分析犯错误的原因，从而发现解决问题的办法，并让孩子们养成这样的习惯，学会独立、思考、分析、行动。

作为孩子应该要做到以下几点：

1.错误是开启新旅程的重要拐点，我们要主动接纳错误，让自己在错误中成长；

2.发生错误后不要自怨自艾，要冷静坐下来思考，并把思考到的原因写在纸上，让自己看清导致错误的原因，及时总结，让自己不再犯同类错误；

3.只要生命还没有结束，错误依旧会发生，我们必须承认这一点，这样就能用乐观的心对待生活，用宽阔的胸怀接纳错误。

第6课 / 真正的成功是由内而外的
——巴菲特回忆父亲：所谓的"成功"究竟是什么

> **课前引**：现代社会每个人都渴望成功，但成功的定义究竟是什么，这是我们本课需要考虑的课题。但大多数人认为成功应该以金钱来衡量，如果没有金钱的衡量成功就会失去意义，而且称不上成功。成功的定义真是这样吗？

痴恋成功已经是当代社会最"时尚"的风气，每个人都在追逐自己向往的成功。

成功是衡量一个人是否幸福的风向标，因此每个人都认为自己必须要获得成功才能获得自己想要的一切，然后阅读各种能引导我们走向成功的书籍，并希望从别人身上进行学习，不断地模仿、询问、幻想，不断地思考、探究、摸索属于自己的那份成功，从而过上幸福快乐的生活。

但这样我们真能获得自己想要的那份成功吗？这是我们要思考的问题。另外，成功究竟应该如何定义也是我们需要思考的问题。

我认为真正的成功应该与人的本性分不开，例如，他为人们干了多少实事？他是以怎样的姿态回馈社会？他的能力和潜能都全部发挥出来了吗？他是人们应该学习的榜样吗？他是一个十分热爱生活和体验生活的人吗？他能实现自己的人生价值吗？等等。

但现在人们很少把成功与人们的本性联系在一起，甚至认为人的本性和成功没有多大的联系。能用来衡量一个人是否成功的标准是看这个人获得了多少金钱，以及这些金钱给人带来的回报。

换句话说，人们并不关注精神上的成功，只关注物质上的收益，只要一个人赚取的金钱足够多，人们就认为他已经获得成功。因此经常把成功和金钱待遇挂钩，只要一个人获得高待遇、高报酬，他就是一名成功者。

现在想想看，难怪有些人在议论别人的成功时，通常都说"他是一个著名的内科医生，一个手术就是我们一年的薪酬了"，"他是一个富商，分店遍布全国各地，每家分店的收益也很不错"等与金钱有关的话语。

对于别人用金钱来衡量一个人的成功我持否定态度。我认为金钱不过是成功的衍生物，只是成功给予我们的一点报酬，但绝对不是成功的全部，成功不是金钱可以衡量的。

真正的成功应该与人的本性有关，因为人们之所以获得成功与他们在汗水、精力、时间、意志等方面的付出是分不开的，有付出才有回报，况且很多时候一个人之所以追逐成功，是因为想实现自身的价值，并不是因为金钱的引诱才采取行动的。

金钱不过是社会对我们付出的回馈，但不能认为人们都是为了金钱才采取行动，因为利益的引诱才付出自己的劳动和知识，这是一种侮辱，不但侮辱了一个人的人格，也侮辱了一个人的灵魂。

另外，每个人的成功都对他本人具有极大的意义，是一个人的满足感，这种满足感是金钱不能衡量的，它的价值远在金钱之上。

其实我们身边有很多例子，像我们昨天还是公司具有影响力的高层，但今日竟然成为失业大军的一员；又像我们昨天的事业还如日中天，但今日却日薄西山；又像昨天我们在商场如鱼得水，今日却一败涂地。

因此，如果仅仅用金钱来衡量成功，那么这些一直被金钱陪伴左右的人突然有一天变得一无所有，那么他们变成了失败者？这有点让人怀疑和感到不确定，甚至可能会让人感到发疯。因为如果成功跟随金钱消失，而且又这么不稳定，具有这么大的风险，我们当初为什么要这么奋力去追逐，这不是自掘坟墓吗？

因此，单纯地用金钱去衡量成功是一种非常愚蠢的行为，我们应该保持理性，发现衡量成功一些更内在的东西，如自信、自尊、自爱，等等，这些东西都是人们精神的体现，也是人们实现人生价值的必备因素。

如果说金钱消失了，人们这些内在的因素就会随之消失吗？相信不是，如果真是这样，这个世界有那么多白手起家的人，难道说他们的自尊、自信、自爱是随金钱的增长而增长、减少而减少、消失而消失吗？

所以，我们没必要把自己的成功依靠在外部复杂多变的社会和世界中，没有任何东西能够衡量我们自身的价值，只有我们自己，因此，我们必须要学会尊重自己的内心，让它告诉我们的价值是多少。

所以，如果单凭自己获得的报酬和取得的利益来衡量自己成功与否是一个十分愚昧的行为，我们必须要了解成功的本质，并以本质为基础，正确地衡量属于我们自己的那份成功，只有这样，我们才能摆脱愚昧。

那么，衡量一个人成功的标准是什么，对于这个问题我感觉很抱歉，因为这个问题其实并没有标准答案。每个人内心深处都有一个衡量成功的标准，因此100个人有100个标准，而且这些标准是我们外人很难摸索得到的，只有那些能够清楚了解并理解自己内心想法的人才能知道答案。由此可知，成功的标准是住在我们的心中，也是我们自己需要挖掘的问题。

一个人如果能够成功挖掘自己成功的标准，那么他就能知道自己的需求，并为实现这个需求不断地努力，加深对自我价值的理解，并让这些理解成为自己生活的一部分。

我身边有一位朋友对音乐十分喜爱，并且享受音乐带给他的快乐，但他对金钱、名誉、地位这些东西不是很喜欢，可以说从来都不关心。另外，他运用音乐赚到的钱少之又少，而且十分不稳定，他的汽车也成为他的家，起居饮食都在里面。相信说到这里很多人对他这种行为都会嗤之以鼻，甚至有可能认为他的思想太不成熟，不能从实际出发。但他本人却十分喜欢这种生活方式，虽然有点冒险，有点没有保障。同时他也认为自己很成功，我非常赞同他的观点，因为不是每个人都能够做到遵循自己的意志生活的。

　　对音乐的热爱让他的生活不稳定，同时也让他不得不克服周围人们的目光，甚至要付出珍贵的感情。这种生活有点脱离实际，同时又充满矛盾，是常人不能接受的生活，但如果要走音乐之路，这是他必须承受的，是他必须经历的。

　　他之所以喜欢音乐，是因为受到母亲的熏陶，母亲很喜欢弹奏钢琴，自小他就与母亲一起探讨和研究音乐方面的话题。但他的父亲却不太赞同他把音乐作为志向，希望他能够踏实一点，学习真正有用而且利于谋生的专业，因此他的父亲希望他读医。这使他陷入矛盾之中，但为了不让父亲失望，他听从了父亲的建议接受医学的预科教育，把音乐暂时作为自己的业余爱好。

　　他回忆说："既然我这样做能让父亲感到安心，而且我很爱他们，我希望他们幸福和快乐，不再因为我的事情为我感到担忧，因此我接受预科教育，但我从来都不认为自己的这个选择是为了父亲，我是为了自己，我希望自己面对现实，毕竟成为音乐专家比成为医生要艰难得多，因此，无论以后我在这条路遇到什么困难或困扰都与人无关，一切都应由我自己独立承担。"

　　虽然他在这方面想得很透彻，但在大学三年级的时候，他好像想清楚了自己的志向，对学习音乐的热情不减反增，并在他的头脑中不断地对他进行召唤，让他越发清楚自己以后的路，因此他尝试与自己的父亲进行交谈，毕竟他爱他，希望他快乐，但同时他也希望父亲能够理解自己，支持自己，但不幸的是父亲听了他说的话后怒发冲冠，虽然没有把断绝关系的话语狠心地从口中说出，但行为和言语都很清楚地表达了这些意思，让朋友知道自己如果要走音乐之路一定要孤军作战，无路可逃了。

虽然自己的心中很明白答案，但他又再次犹豫起来。这对于任何人都是一样的，没有人愿意违背自己尊敬的人和爱的人的意愿，都希望自己在他们面前表现出色，因此朋友在这样的矛盾中只好选择对自己比较有优势的一面，继续完成学业，获得医学学位。相信每个子女都想成为一个好儿子、好女儿，而且在心智还没有成熟的时候都尽可能地依赖父母，也或许是因为他们还没有做好独立的准备，如果离开父母我们能够做得更好吗？我们能养得起自己吗？我们能够保障自己衣食无忧吗？所有这些矛盾都不断充斥着我们的头脑。

事实上，如果条件允许，父母给我们安排的道路子当然是最安全、最有保障的。而且真正要实施的时候我们会发现他们的安排对于我们来说简直轻而易举，不费任何力气就能让自己这一生安枕无忧，衣食稳定。

不知道是否真有命中注定这回事，我的朋友在学习医学的时候选择考那些最难考的学校，读那些难度最高的课程，这让他在这条路上磕磕绊绊，怎么努力也得不到成果，最后只能举手投降，说自己没有学习这方面的能力，让他冠冕堂皇地选择其他出路。

这个出路对于他来说就只能选择学习音乐，对此他的母亲很支持他，但他的父亲还是那样顽固，坚持反对，甚至严重影响了父子之间的感情，让本来亲近的人变成了外人，并产生了越来越远的距离，导致这份感情好像再也没有能够修复的地方。

对于这个事情我的朋友经常进行反思，并很想从父亲的角度出发，搞清他反对的原因，最后他说："或许父亲认为音乐不能很好地体现我的能力，甚至不能让我享受成功的快乐，实现自己的价值，为社会做贡献，但我一定会通过自己的努力去证明，即使以音乐为终身职业志向我也能很好地让他人看到我的价值,从而知道我的贡献,我相信自己拥有这样的能力。"

这个事情过了30年后,我的朋友举行了一场音乐会,一个医生在演奏结束后找到我的朋友,并称赞他演奏的技艺十分高超很娴熟,演奏出来的音乐是一剂能够治愈人们心灵的良药。听到这句话,我的朋友感到压在自己身上几十年的愧疚感顿时消失,如释重负,并说:"他的这句话一下子就把我和父亲的矛盾化解了,让我发现自己即使不做医生也能用自己的音乐去治愈人心。"这个结果是一个好结果,我也为他感到高兴。

我们很多时候都会被矛盾充斥着自己的心,但却因为别人说的几句话就把这些矛盾从自己的身上赶走,让自己重获自信,相信自己有能力完成自己期望的事情。对此,我也曾经历过类似的事情,看似简单却意味深长。

当时我发现自己对音乐很感兴趣,并希望自己能把它作为志向,于是我回到奥马哈的家中,试图与父亲进行沟通,让他理解并支持我的行为。当然面对这种违背父母期望的事情,我们不能直接地向他们说出来,只能间接地说出,并让他们能够明白。我像很多人一样,只跟父亲谈论自己的志向、情感、追求、目标,有意地带出想学习音乐的念头,并不断小心翼翼地留意父亲的一举一动,希望从他的身体语言中知道父亲对我的态度以及感想。正确来说,无论我现在在说什么或许对于父亲来说都是为自己辩解,但如果不进行这样的沟通,我或许会后悔一辈子。

说句老实话,父亲只会认真聆听我们说话的中心,但从来都不会反驳些什么,但也不会有什么结论性的话语,这有时让人很难猜度他的心思,究竟是同意还是不同意就需要你仔细斟酌。

但出乎我的意料,父亲第二天去上班的时候对我说:"彼得,对于你来说音乐是你的画笔,你喜欢在画纸上画什么都是你的自由,就像伯克希尔·哈撒韦公司是我的画纸一样,每当我想到什么线条能让我的画看起来更优美,我就会拿起我的画笔，尽情地挥画。"

听到这句话我如释重负，甚至感受到父亲对我的爱是如此细腻。

我很庆幸自己能有这样的父亲，他平等地对待我们的志向，并尊重我们的志向，让我们发挥自己的所长实现自己的价值，获得自己想要的成功。当然这种成功不用金钱来衡量，不用对社会的贡献来衡量，单从个人的角度来衡量。

因此，成功是一种个人的行为，与任何人都没有关系，也没有统一的衡量标准，它是自我价值的体现，是人们的个人行为产生的结果。同时，成功对人们来说具有相同的意义，是人们在追求自己志向和目标时体会到的感想，是每个人对生活的热爱的体现。

我和父亲的共同之处是尊重每个人的志向和选择，每个人都是一个独立的个体，独自地对自己的人生负责，独自地演好自己的角色，进而为世界和环境制造美好的风景。

通过以上两个故事我知道成功不但是个人行为的结果，还是周围环境对我们影响的结果，即是说，我们的世界观、价值观、道德观、是非观都会影响我们的选择，而且周围环境也会不断地充斥我们的头脑，让我们左右为难。

例如，父母的期望也会影响我们的选择。但这无可厚非，作为父母当然不希望自己的孩子走那么多冤枉路浪费时间，他们有自己既定的成功标准，并希望孩子们能够遵循这个标准。但作为孩子，由于生活环境和成长环境的不同，导致他们有可能会接受父母的建议，但也有可能会视而不见。

但无论怎样，人都是一个十分矛盾的个体，他们有时很清楚自己的欲望和追求，但父母的眼光却不曾离开过自己，让自己感到来自他们期望的压力。没有谁会喜欢自己的父母不高兴，因此在作选择的时候通常都只会是悬崖勒马，很少会果断行动。

除了家庭环境的影响，社会这个大环境也会影响我们的选择，人类生活是一种团体生活，因此很难摆脱别人的看法和环境的影响。不过这种影响其实不算很大，就像衡量成功的标准会变化一样，人们的思维和观念都是会随着时间变化的。

就像在罗马时代，人们认为能够接受勋章的人才叫成功；在修道院能够做到物欲皆空，心无牵挂，把自己奉献给主才叫成功；在学校，接受了良好的教育，取得各种学位才叫成功，因此，时间不同、地域不同、环境不同，成功的定义就不同。就前面的例子看来，名誉是成功的一种，修炼又是成功的一种，教养也是成功的一种，但当环境条件转换，这些所谓的成功又变得无关紧要，一点意义也没有。

由此可以看出，成功的定义是多种多样的，是受人文环境影响的，如果真要用一个词语把成功进行描述，那不过是愚者所为。

就像我们要回答什么是桌子，什么是洗衣机，什么是微波炉一样，每个人都会在回答前进行思考，于是产生了不同的画面，说出不同的话语，100个人就有100种说法，这些差异的产生与我们的价值观和世界观是分不开的，成功是否也会受到这些因素的影响呢？

事实上，成功的定义与其他事物的定义也是一样的，只要我们认为它是什么，它就能成为什么。这样做也是很有好处的，我们不用被什么标准，什么定义禁锢了自己的思维，我们可以尽情发挥想象，不断地进行思考，不断地端正自己的行为。

虽然我们能自主决定成功的定义和标准，但我们很难摆脱社会环境对我们的影响，就像我们不想辜负父母的期望一样，我们每天都会被主流的世界观和价值观充斥自己的头脑，影响自己对待事情的态度，甚至影响自己判断事情的标准。

跟随大众思想进行行动，这为我们节省不少心力和脑力。甚至因为能够参考那些走过这种路的人的经历，让我们知道走向成功的快捷方式。但如果这样做我们就会像机器人一样没有自己的思想，只按程序办事，避免自己犯错误。这样看来，跟随大流进行行动是一件十分容易的事情，甚至好像成功是随手可得一样。

但这样的成功能满足我们的内心需要吗？如果我们选取与此截然相反的道路，那么我们会遭遇什么？对此相信很多人都会感到很好奇，但这条道路我可以告诉你没有主流道路那么好走，而且需要强大的心理承受能力和思想人格力量。如果你没有这样的力量，我希望你还是尽早放弃比较好。

另外，现代社会每个人都十分迷恋金钱，因此，金钱成为衡量人们成功与否的主流标准，也正因为这个标准的存在，导致人们对金钱以外的东西都表现得漠不关心。

这种风气存在的起始时间应该是20世纪80年代，那个时候很多人都希望自己能够从商，因此十分希望接受这方面的教育，以致商学院的申请人数堪称历史之最，报纸杂志也报道了这事情。另外有一个朋友的例子也能很好地说明这方面的问题。

我的朋友去参加一个聚会，主人十分友好，向我的朋友介绍一位女性朋友，于是出于礼貌我的朋友当然不好拒绝，于是和这位女性朋友聊起天来。那个女性朋友一开始就问："你是从事什么职业的？""作家。""成功吗？"当我的朋友听到这个问题立即对这个人产生反感的情绪，因为感觉她很没有礼貌。在他看来这位女性朋友一点都不尊重他的职业，至少应该问问他都写了什么，发表过什么作品，写作的作品类型主要有哪些，等等，这样的开始会让我的朋友舒服很多，但她却直入主题"成功吗？"怎样才叫成功，难道赚到很多钱就叫成功，因此我的朋友只是简单地说："还可以。"就转身离开了。

或许这只是这个女性一时失言导致的错误，但如果任何职业都用薪酬去衡量是否达到成功标准的话，相信这会严重影响社会的秩序和运转。每个职位都有它存在的价值，如果我们不能认识到这一点，这将带来难以想象的后果。

如果人们把从事某个职业或赚取金钱的多少定义为人生应该追求的成功，

那么做不到这个职业的人员或赚不了金钱的人就只能沦为失败者了。相信谁也不愿意成为失败者，因此会对这个被称为成功的职业趋之若鹜，甚至走向那些人们认为能够赚取很多金钱的地方。

就像在20世纪80年代企业管理是一个十分热门的行业，因此很多人都希望从事这个职业，但任何职业都有饱和的时候，因此人们又把自己的方向盘转向当时人们认为第二大赚钱的职业律师，不久律师的数量又如满溢的水杯，导致很多水都从杯中流出，最后人们只好转向第三热门的职业投资经纪人，最后历史不断地重演，也导致那些看似十分低微的职业无人问津，严重影响社会的运转和发展，也使很多人在所谓的"成功"追逐中一事无成，身无分文。

一事无成，身无分文都不是最重要的，重要的是我们人类的社会，如果我们一味追逐金钱，我们能发挥自己的创造力和想象力吗？我们能为这个社会尽一点公民的责任吗？我们能摆脱自己短浅的目光，走向自己的梦想吗？我们还会有人从事那些只讲究奉献，不讲报酬的职业吗？

就以教师为例吧，教师是祖国任命的使者，他们肩负着教育祖国未来一代的重任，并需要不断地与时俱进，根据社会的需要，培育及教育好下一代，让他们成为祖国的栋梁，成为祖国对抗外敌坚不可摧的力量。怎样才能让他们成为坚不可摧的力量呢？这就需要教师们从孩子们德智体三方面入手，让他们的思想、品德、智慧、体格等都在教育中不断提高，最后拥有独立性。

因此，从奉献精神来说，教师这个职业是不能用金钱来衡量的，况且教师的报酬一般不会很高，如果我们一味用金钱来衡量一个职业是否成功，那么相信没有多少人的志向会是一名教师。

当一个人因为金钱问题而决定不成为一名教师去从事其他职业时，或许能够获得很多金钱，但精神上却没有满足感，那么没有成为教师就变成了他人生的一个重大损失了，甚至是一件终身遗憾的事情。

当你看到孩子们把题目解出来时的笑脸，你难道不觉得那些满足感是金钱不能买来的吗？当你看到孩子们一天比一天进步，快乐地在你的教育下成长，你不感到很有成就感吗？当你完成了教育工作和你完成单调乏味的公司工作相比，难道教师工作不是更让人兴奋吗？

另外，当我们计划从事一些非主流的职业时，我们必须要有巨大的勇气和想象力，并通过这些勇气和想象力为自己创造属于自己的那份成功。当愿望真正实现的时候，我们的心中会有很大的成就感和满足感，精神上的这种富足是金钱不能买来，也是其他人难以明白和体会的，所以一旦我们作出选择，我们就会过上与众不同的生活，让自己在这种生活中不断实现人生的价值。

我们每个人都主宰着自己的人生，因此，无论是得失成败都不过是我们的个人行为。每个人都有获得成功的权利，但并不是每个人手上的钥匙都能为自己打开成功之门。这把锁匙适合于哪道门就需要我们不断地进行探索。但同时也要求我们要学会从自己的身边出发，不能好高骛远，否则我们就会与属于自己的那道门擦肩而过，得不偿失。

另外，成功是不能具象化的，因为单纯从金钱、名誉或地位等东西对其进行衡量，我们的双眼就会被蒙蔽，因为我们只看到驱使我们行动的一面，却看不到其他能让我们感到满足的方面，这就造成我们对成功产生片面的理解，从而影响自己的判断，导致错误行为的发生。

我们的人生由我们自己打造，这就需要我们坚定自己的意志，看到事情积极的一面，并为实现理想不断地奋斗努力，成为自己想要成为的那个人。

金钱或其他物质都不过是成功的衍生物，这些东西随时都会被社会或外界收回，但埋藏在我们心中的那份宝藏他们却拿不走、搬不动，这才是属于我们的那份成功，我们必须认清这个事实，只有这样，我们才能为取得这份成功坚持不懈，不屈不挠。

🔵 **小贴士**：

　　成功的定义是什么，是我们每个人都必须思考的人生课题，怎样的成功才是我们追求的成功？成功应该具象化吗？我们能获得自己想要的那份成功吗？所有的这些问题都是人们非常关注的问题。一个有主见的人从来都不会被这样的问题困扰，因为他们的眼中只有自己的追求，只看到自己想要追求的那种成功。作为家长我们都对子女抱有期望，希望他们按照我们安排的道路去行走，这或许能让他们少受点挫败，但这种想法是对的吗？这也是我们作为父母需要思考的问题，但相信这个问题也没有任何标准答案，我们暂且不做讨论，但作为家长至少应该做到以下几点：

　　1.金钱是很重要，但不是生活的全部，每个人都有自己想要实现的价值，我们要学会尊重孩子们的选择，让他们无怨无悔地生活；

　　2.适当的引导固然重要，但绝不可强加在孩子身上，这或许会适得其反；

　　3.正确引导孩子有关"成功"的定义，不要随意把成功具象化，这只会造成孩子们的误解；

　　4.多支持孩子们合理的想法，并让他们付诸实践，这或许能获得意想不到的成绩。

　　作为孩子应该要做到以下几点：

　　1.社会上有很多人定义了成功的标准，我们要学会选择性分析，不要被一些错误的观念误导了自己，从而影响自己的价值观；

　　2.作任何决定以前一定要深思熟虑，适当的时候最好与信任的人进行交谈，让他们提供合理的建议，当然，最后的决定还是由你自己来作；

　　3.任何职业都有它存在的意义和价值，我们要学会看到事情积极的一面，然后根据内心的指引追逐自己想要的成功；

　　4.用正确的态度对待父母的期望，虽然父母的期望很多时候都很安全，但我们一定要学会从自己心中的价值出发。

篇后语

这是《父亲的人生课》的第四篇——巴菲特回忆父亲，这个篇章总共有6节课，但这6节课却耐人寻味，让人不断地对自己进行反思，并不断修正自己的行为，让自己成为想要成为的那个人。

我们每个人都是这个社会中平凡的一员，无论父母的功绩多么巨大都与我们无关，因为我们是一个独立的个体，有自己的思想，自己的行为，没必要因为父母的成功而让自己感受到巨大的压力，我们只做自己。

平凡是福，让我们明白人性本善，我们应该信任这个世界给予我们的一切都是安全的，另外，尊重人与人之间的差异性，这样我们才能尽情地享受生活带给我们的快乐和美好。同时，正确对待父母传递给我们的价值观，只有这样，我们才能知道什么是信任、什么是宽容、什么是工作态度，等等。另外，接受教育是每个人都必须经历的事情，只有接受教育我们才能知道这个世界存在的一些现象和知识，我们拥有知识就等于拥有力量，从而能够与自己的心灵对话，弄清自己心中的需求，这就需要我们听到自己的心声。

你能听到自己的心声吗？这要求我们不要先入为主地想事情，这有点欠缺公平，甚至主观，这样就会让自己对别人产生误解，就像第2课中巴菲特的朋友，当他看到儿童援助协会的小朋友都很贫穷时，就先入为主地认为他们的行为都与贫穷有关，但细心了解和分析后才发现这不过是自己的主观想法，决定一个人内心需求的因素与富贵贫穷无关，只与生活经历和环境有关，因此，我们不能随意对别人妄下定论，误解他人的行为。

另外，人生充满了选择题，每个选择都是喜忧参半的，因此，无论我们的手段多么高明，我们都难以逃过忧的那个方面，所以当选择符合规范时，我们大可毫不犹豫地选择向这个方向行走，这样也为我们节省很多的时间，即使选择错误还能有更多的时间去重新开始。就像在正确对待错误这一课中所说的，每一个错误的发生或许就是一个新的契机，只要我们认真分析总结，那么所谓的错误将会把我们引领到一个新的领域，让我们感受生活带给我们的精彩。

志向和成功是相辅相成的，如果我们没有志向，那么我们就不可能成功。正确的志向会引导我们走一条合适的道路，并让我们不断地实现自己的价值，感受志向的力量。正因为我们拥有志向，我们才能看到成功的明灯，并跟着明灯的指引勇往直前，不屈不挠，最后抵达自己想要的成功。但成功的定义是什么，这也引发我们的深思。

作为孩子，我们总会面对父母的期望，但通常父母们的期望都比较安全，我们要获得成功应该遵循自己内心的想法还是遵从父母的期望，这就是我们需要思考的问题。同时在社会生活中对成功的标准总有一个主流的定义，一旦我们追逐的成功与这个定义背道而驰，我们就会怀疑自己的想法是否正确，甚至认为自己是不是对成功定义错误。这就需要我们突破这个主流定义，突破这个主流定义就要拥有非凡的勇气。

所以，这个社会总是有很多的条条框框制约着我们的行为，能按照自己的意志做自己的人在这个社会中是很少的，但这样的人往往就是被我们冠以"成功"称号的人，我们怎样才能成为自己想要成为的人就是这个篇章要传导给我们的信息，各位家长和孩子都认真阅读吧，相信在巴菲特的影响下，我们能理清自己的思路，知道自己的想法和需求，成为想要成为的那个人。